JN082791

伊達騒動異聞

ぞく ちゅう

カバー写真　仙台市博物館蔵
（利用Ｎｏ．Ｋ２００４２）

まえがき

「伊達騒動」については歌舞伎「伽羅先代萩」や、五十年前に観た大河ドラマ「樅の木は残った」で知ることとなり、山本周五郎の原作本も読んでみました。

二〇一二年の仙台市博物館の企画展『仙台藩の御家騒動』を観て興味をそそられたところに、翌二〇一三年に『伊達騒動―男たちの生と死』と題する講座を受講したことが切っ掛けとなって、当時仙台藩を揺るがした騒動を小説風に書いてみようと思い立ちました。

この講座は大槻文彦の『伊達騒動実録』を基に、騒動の原因や経緯を探ると同時に、取り上げた七人の男たちが動揺する藩政の渦の中で如何に生き、如何に死んだのかを主題に進められました。大槻は『伊達騒動実録』の巻頭、序言の中で次のように言っています「此事件につきて、世には、小説に、軍談に、歌舞伎に、年ごろあらぬ事を作りものしてもてはやし、まことの事跡は、いとどしくおしかすめられてあり」と。この一句にあるように、伊達騒動についての「あらぬ事」即ち虚構を排除し「まことの事跡」即ち事実を究明しようとする実証主義史学の立場にたっていると考えられます。ドラマチックな展開を見せる『伊達騒動』は、小説に、映画に、ドラマにと恰好の題材として使われて来ましたが、私はこれらの作品には取り上げられなかった、残された原田家の人々のその後についても書き加えようとしましたが、中々史料が見つからず、結局後半は薄っぺらなものになってしまいました。

私のこの愚作は確かに史実を横目に見ながら書いてはいますが、往々にして『実録』から逸脱した、それこそ「あらぬ事」を書き連ねたものとなってしまい、恥じ入るばかりです。

読者の皆様にはこの本が飽くまでもフィクションの世界であることをご承知置きの上でお読み頂ければ幸いであります。

■文中、※印の箇所は参考文献『伊達騒動と原田甲斐』（小林清治著・吉川弘文館）から、また☆印の箇所は参考文献『仙台市史通史編4近世2』から引用しました。

目次

第一章　仙臺藩六十二万石

（一）評定役原田甲斐

　江戸に幕府がおかれて五十二年、元号は承応から明暦へと改められた。

藩祖、伊達政宗が開府して五十四年経った奥州仙臺。

城下を大きく蛇行して流れる広瀬川は、長町の南で名取川に合流し、やがて閖上（ゆりあげ）の河口に至る。

五月雨を集めて流れる瀬音が清清しい。

今年も姿を見せ始めた燕が、水面をかすめて飛び交った。

常服（つねぎ）に編笠を被った侍姿の男が一人、釣り糸を垂れてじっと動かない。

「義兄（あに）さま」

釣りをしていた侍の後ろから別の若い侍らしき男が声をかけた。

「おう、気がつかなかった、儂がここだと良く分かったな」

瀬音に消されて人の気配に気付かなかった。

「さっき、お屋敷に寄って、姉（あね）さまから聞きました、どうです釣れますか」

「鮎は未だ早いな、やっと一匹で、あとは雑魚（ざこ）ばかりだ、ほれ」

侍は魚籠（びく）の中を見せた。魚籠の中には、細い鮎が一匹と鮒が数匹。

侍は、釣竿に糸を巻き、道具を仕舞いかけた。

「今日もお役目ご苦労であったな」

「そのお役目ですが、近いうちに江戸に上ることになりました」

「ほう、そうか、しばらくは一緒に釣りが出来んな」

「江戸は人が足りないようで、そのためでしょう」

二言、三言、交わした侍は、大きな石に立掛けていた刀を腰に差した。

二人は石ころの川原を歩き、土手を登って道に出た。

近くにある渡し舟に乗れば、寛永十三年に没した藩祖伊達政宗の霊廟瑞鳳殿（ずいほうでん）がある。

そして南に向かい鹿落坂（ししおちざか）の急な坂を上れば向山（むかいやま）に至り、長徳寺や虚空蔵堂或いは大萬寺、愛宕神社などの神社仏閣が続く道となる。

二月前に雪解けの増水と季節外れの大雨が重なり、城下の橋の多くが流されてしまった。

橋の架け替えは城に通じる大橋が優先された。

土手の坂を登った二人は、藩の重臣や大身の御屋敷が立ち並ぶ片平丁に出た。

「所用がありますので、今日はこれにて・・」

「寄って行かんのか」

「江戸行きが正式に決まりましたら、改めてご挨拶に伺います」

若い侍は、頭を下げて去った。

釣竿を肩に掛けた侍は、やがて大きな門構えの屋敷の裏門を潜った。

「あれ、殿様、こんな所に、どうなさいました」

厨(くりや)に顔を出した侍に、食事の用意をしていた女中が驚いたように言った。

「鮒では、菜にはならんか」殿様と言われた侍はちょっと笑って、魚籠を女中に渡した。

「甘露煮にでもして、明日の朝餉にお出ししましょうかね」

魚籠を覗いた女中は、屈託なく笑った。侍は洗った手を拭きながら母屋に向かった。

「あら殿様、どこからお入りになられたのですか、門番の声が聞こえませんでした」

侍の帰りに気付いた女房がちょっと驚いたように言った。

主人が正門から入れば、門番が帰りを知らせる筈であった。

「うむ、今日は儂は休みだからな、喉が渇いた茶をいれてくれ」

女房に腰の大小を手渡した侍は、畳の床にどっかりと座った。

「玄蕃殿が来たようだな」

「ええ、いつもの所で釣りだと教えましたが、行きましたか」

「江戸に行くことになるとか申しておったが」

「はい、せっかく嫁の話があると言うのに、間の悪いこと」

「そう長くはないだろう、直ぐに帰って来るだろう」

「江戸の御殿様の御容態は如何なのですか」

「うむ、報せでは、あまり良くないらしい」

「それは心配ですこと」

この二人、仙臺藩評定役(ひょうじょうやく)の原田甲斐宗輔(はらだかいむねすけ)と妻の律(りつ)で、津田玄蕃景康(つだげんばかげやす)は律の弟である。

「お帰りなされませ」

甲斐と律が話しているところに、家老の堀内惣左衛門清長(ほりうちそうざえもんきよなが)が顔を見せた。

惣左衛門は甲斐の父宗資(むねすけ)の代から原田家に仕え、今は家老を勤めていた。

　数日後、船岡の屋敷を預かる国家老の片倉隼人(かたくらはやと)から急ぎの書状が届いた。

船岡の領内で、田畑の境を巡って争い事が起き、傷を負った者が出たという。

隼人が暴力沙汰は何とか収めたが、殿に御処置を願いたい、という内容だった。

甲斐は、仙臺の奉行に仔細を申し上げ、在所船岡に赴くことの許しを得た。

甲斐の申し出を受けたのは仙臺藩奉行の一人、茂庭周防定元(もにわすおうさだもと)であった。

「言うまでもない事では御座るが、自領内の事といえども御殿様から御預りの知行地、呉々も騒動にならぬよう御処置下され」

茂庭家と原田家は婚姻を通じて親戚関係にあった。

その後二人は、互いの家族の近況や世間の四方山話(よもやまばなし)などで歓談した。

　翌日、甲斐は供侍と馬の手綱をとる中間を随えて船岡に向かった。

三人は広瀬川を渡り、長町から中田を過ぎて、増田に差し掛かった。

「どれ、少し休もう」

街道筋の茶屋は、甲斐が船岡と仙臺を行き来する時に、よく立ち寄っていた。

「これは、原田のお殿様、お久し振りでございます、ささ、どうぞお上がり下さい」

店主は、如才なく甲斐を迎え入れた。

三人は出された茶を飲んで喉の渇きを癒し、初夏の風に吹かれながら、街道を往来する旅人を眺めていた。

小半時ほど休んだ甲斐は、また馬に跨(また)がった。

岩沼を過ぎれば、もうすぐ船岡である。

　船岡に着いた甲斐は、先ず原田家の菩提寺である東陽寺で墓参りをしてから在郷屋敷に入った。

「隼人、お主には船岡の留守居を任せたのだ、このようなことで一々儂を煩わせるな、儂は仙臺のお役目で忙しいのだ」

甲斐の前には、国家老の片倉隼人が畏(かしこ)まっていた。

「上名生と下名生の者どもが田の水引を巡って争いになり、双方に怪我人が出てしまいました」

「また水争いか、して怪我の程度は」

「幸いにも、死ぬほどのことではないとのこと」

隼人は、重ねて騒動のあらましを説明した。

「これから両方の者たちを呼んだのでは日が暮れる、明朝来るように伝えよ」

隼人から事情を聞いた甲斐は、争いのあった部落の肝入を呼ぶように命じた。

湯浴みを済ませた甲斐は、母の慶月院と共に持佛堂で先祖の位牌に祈った。

「仙臺の方々は達者にしていますか」

「はい、皆変わりなく・・」

居室に戻った二人は、久しぶりに言葉を交わした。

「たまには仙臺に行きたいと思っていますが、何せこの足腰ではのう」

「とんでもない、駕籠は御大身の乗り物、私などは許しがなければ乗れません」

「今度、駕籠を連れて来ましょう」

「母上、私もその御大身の一人でありますぞ」

笑いながら言った甲斐の言葉に、慶月院もつられて笑った。

「ところで、未だ奉行の声が掛からないのですか、今の御役は随分と長いのではありませんか」

原田甲斐宗輔この時三十七歳、慶安元年に評定役に就いてから七年であった。

甲斐の父宗資が四十二歳で死んだ跡をうけて、甲斐(幼名・弁之助)は五歳にして宿老家の筆頭原田家の家督となった。

戦国時代の宿老は、のちの家老(奉行)にあたり、代々世襲が建前であった。

女手一つで甲斐を育て上げなければならなかった慶月院には、甲斐を奉行に上らせなければならない宿命にも似た重責が課せられていた。

「其方が奉行になった姿を見ない内は、死んでも死に切れませんぞ、そもそも原田家は伊達始祖以来の譜代の臣で・・」

——また始まった、顔を合わせればこれだ、同じことを何回聞かされたことか。

甲斐は、聞きたくもなかった母の小言に付き合わなければならなかった。

一粒種の息子を無事に育て上げることに併せ、奉行に見合う人物にしなければならないという思いを持った慶月院の教育は厳しかった。

しかし、厳しく育ったはずの甲斐は、生来の優柔さを持った温和な男として成人した。

慶月院は伊達政宗と、豊臣秀吉の側室香の前との間に出来た娘と言われた。

成人した甲斐は、豊かな背丈に加え、祖母ゆずりの端整な面立ちであった。

翌日、上名生と下名生の肝入が事情聴取の上で、喧嘩両成敗、この後双方遺恨に思わぬことという甲斐の裁定を受け入れて和解した。

（二）明暦の大火

明暦三年一月の仙臺領は、冷たい西風が吹き荒れていた。

「いやはや、毎日よく吹くのう」

冬から春先にかけて、仙臺領一帯には屡々強い西風が吹く。

奥羽の山を越えて吹き降ろす寒風は、からからに乾いていた。

「うむ、火事など出ねば良いが」

「梅がほころんできたと言うに、未だ寒いのう」

吹きつける寒風にもめげず、仙臺の家中は今日も仕事に励んでいた。

「ほう、これは珍しい、良い香りだのう」

昼下がりの一時、奉行の茂庭周防定元は、出入司の山口内記重如・真山刑部元輔と共に茶を喫して寛いでいた。

茶は、城下の御譜代町で茶を商う柳町の商人から献上された貴重な煎茶であった。

「今年の儀式は何とか終えることができたが、来年は果たしてどうなるか」

「それほど、御殿様の具合がよろしくないのでございますか」内記が周防に訊ねた。

「唯々、御回復を願うばかりじゃ」腕組みをした周防は溜息をついた。

同じ頃、仙臺から南におよそ九十二里、江戸にも乾いた強風が吹き荒れていた。

そして一月二十二日、江戸屋敷からの急報が届いた。

「御重役の方々に急ぎ御登城下さるよう使いを出せ」

大番頭からの命令を受けて、詰所の番士たちが大橋を渡り、片平丁などに走った。

「何だっ、何があった」「火事とは何処だ」「使いの者を之へ呼べ」

普段落ち着き払っている重役たちが右往左往する様は、番士たちの目には何か滑稽なものに映った。

「江戸で火事があったのか、して被害のほどはどうなのじゃ」

江戸からの使者を前にして、重役たちは矢継ぎ早に聞いた。

「去る十八日の昼八つ時、本郷丸山町辺りから火が上がり、折からの強風に煽られて燃え広がり、江戸市中の大半を焼き尽くしてございます」

使者は肩で息をしながら、乾いた喉を振り絞って一気に答えた。

「何とっ、して御屋敷はどうした」

「御殿様は御無事か」

重役たちは膝を乗り出して次々に聞いた。

「外桜田の御屋敷は焼失し、御殿様と綱宗様は麻布の下屋敷に避難なされました」

「江戸城御門内の屋敷が燃えたとは、どういうことだ」

「江戸城は、西の丸の一部を残して焼け落ちてございます」

「天守もか」

「はい・・・」

驚愕の報せに一同は茫然として息を呑んだ。

「浜の屋敷は無事か」

「浜も焼失してしまいました」

　明暦三年一月十八日の昼（陽暦三月二日午後二時半頃）、本郷丸山町の本妙寺から出火した火災は、折からの強い西風に煽られて瞬く間に燃え広がった。

翌十九日にかけて、本郷、湯島、駿河台、神田橋、八丁堀、佃島から深川、本所方面に延焼した。

また十九日朝四つ時頃（午前十時）小石川新鷹匠町から出火、江戸城本丸、二の丸、三の丸が焼け落ち、飯田橋から九段一帯に延焼した。

更に同日夜、麹町より出火、桜田、西の丸下、新橋、京橋、鉄砲州、芝に及んだ。

火元は三か所と見られ、類焼地域は江戸全市に及び、人口二十八万人の内、死者の数は九万とも十万とも云われ、被害は計り知れないほどの大惨事となった。

江戸を含む関東一帯は、ここ数か月間極端に雨が少なく、乾き切っていた。

加えて季節外れの寒気と二十一日の吹雪で罹災者の多くが凍死した。

事態の重大さを受けて将軍補佐役保科正之と老中松平信綱は、市中各所にお救い小屋を設け、粥の施行をして被災者の救済にあたった。

また江戸屋敷を失った諸国の大名に対して早期の帰国を促し、別命あるまで参勤の停止を許した。

これを受けて仙臺藩は藩主陸奥守伊達忠宗を擁し、急ぎ帰国の途に着いた。

辛うじて類焼を免れた麻布の下屋敷には、三年前に十五歳で元服したばかりの侍従兼美作守綱宗と伊達兵部宗勝の他、少数の家臣のみが残った。

「御殿様を迎えに行かねばならぬ、急ぎ支度をいたせ、急ぐのだ」

時を置かず家中総出の救援のための支度が行われたが、その翌日には江戸の兵部宗勝から書状が届いた。救援要請の書状には、米・麦・味噌・野菜・干物などの食料品の他、衣類・寝具・果ては火傷や傷の薬まで細々と認められていた。

「急ぎ、これらの品々を調達せよ」

重役からの命を受けた家中の面々は、御譜代町に走り大町検断に申し付けて品々を徴発した。

また、近郊四方に走って、駄馬と馬借(ばしゃく)をかき集めた。

終日騒然とした中、甲斐は奉行衆に呼ばれた。

「御殿様をお迎えする一隊と江戸救援の一隊を出す、貴公は荷駄を率いて江戸に向ってくれ、お迎えの一隊も同時に出立させる、支度が出来次第出立せよ」

屋敷に帰る暇もない甲斐は、家来に命じて旅支度を取りにやらせた。

突然の報せに原田の屋敷も上や下への大騒ぎとなった。

「奥方様、殿様のご様子を見に参ります、何か御言伝えはございますか」

家老堀内惣左衛門清長(ほりうちそうざえもんきよなが)が襷(たすき)掛けの律に聞いた。

「唯々、ご無事にと伝えてください」

夜遅く、甲斐の指揮の元、江戸救援の一行が出立した。

大番組の番士に率いられた馬借たちは、荷を背負った馬や大八車を引いた。

江戸までおよそ九十二里、急ぎの旅であった。

「江戸からの一行はどこまで来ておろうか」

茂庭周防や奥山大学常辰(おくやまだいがくつねとき)・古内肥後重安(ふるうちひごしげやす)の奉行衆たちが一行を見送った。

江戸の大火の報はすぐに仙臺市中に広がった。

江戸の米や材木、果ては衣類などの値が高騰することを見抜いた商人たちは早速商売に奔（はし）った。

御譜代町の中で、米などの穀物を商う立町・穀町などの蔵からは、江戸に向け米が運び出された。

それでも足らず、近郊の農家から米を安値で買い付け、荒浜から小舟に載せて貞山堀を通って石巻に向かい、十日後には米を満載した船が江戸に向けて出帆した。

　同じ頃、江戸から避難して来た一行が漸く仙臺に入った。

皆揃って疲れ果てた様子であった。

「御殿様は途中御疲れの御様子で、お帰りが遅くなりました」

江戸詰評定役茂庭主水姓元（もにわもんどうじもと）が、出迎えた一門衆や重臣らに火事の状況を報告した。

「御殿様をお守りして逃げるのが精一杯で御座いました、まさか御城まで焼けるとは思いも寄らぬこと、真に無念にございます」主水は俯いて目を瞑（つむ）った。

「江戸市中は一面の焼け野原で、非難の道すがら見たものは、それはもう・・」

主水は絶句した。

「いたる所に黒こげの死体が、特に橋の上や袂（たもと）には死体の山が重なり、川に浮かぶ死体は数知れず、
焼けた者の死臭が今でも鼻についております」

主水の語る悲惨な情景を思い浮かべて、聞いている者たちは皆沈黙した。

当時、隅田川に架かる橋は数少なく、川を渡って東に逃げようとする避難者が殺到したために、圧死

する者、川に落ちて溺死する者、焼死する者など悲惨を極めた。

「御殿様は御休みになられました」

小姓頭が報告に来た。

忠宗は長旅の疲れもあり、早々に寝所に入っていた。

忠宗は五十九歳の病身で、めっきり体力の衰えが見えた。

その後も、江戸と仙臺の間を人や手紙が引切り無しに往復し、しばらくは喧騒の日が続いた。

石巻からは米や木材を積んだ船が、何隻も江戸に向けて出帆した。

その後幕府はこの大火を教訓にして、江戸市中の大規模な都市計画に着手した。

大名、旗本宅地の引替、寺社の移転、火除地、広小路や橋の新設など多方面に及んだ。

江戸の復興は全国各地からの労働者や物資の大量流入現象を来し、後に人口百万人を超える大江戸といわれた世界一の都市が出現することになる。

喧騒のうちに明暦三年は暮れた。

（三）三代藩主綱宗

不吉な元号はわずか三年で改元となり、新たに万治となった。

仙臺藩では『御嘉例（ごかれい）』として毎年繰り返される様々な年中行事がある。

元旦からおよそ二十日間に亘り行われるのが正月儀礼である。

その中で最も重要な儀礼が年始御礼である。

一月一日（元旦）・二日にわたって行われる儀式は、藩主が二の丸の小広間に出て金屏風を背に着座し、一門・一家・一族以下が太刀目録を献上して、藩主から盃を賜る儀式であった。

元旦に拝謁するのが一番座、二日が二番座と言われていた。

　この年、体調がすぐれない忠宗は年始御礼にはお目見得したが、三日の御野始（おのはじめ）以下の行事には出られなかったため、この年の正月儀礼は例年より簡素なものとなった。

二の丸に、一段落した正月儀式取りまとめ役の家中が登城していた。

「お役目ご苦労でござった」

奉行執務室六間御家には、奉行の茂庭周防定元と奥山大学常辰、評定役の原田甲斐、それに出入司の山口内記重如と真山刑部元輔が儀式の記録を纏めた関係書類を前にしていた。

出入司や若年寄或いは小姓頭（こしょうがしら）などが記録を確かめた上で奉行の検分を受け、後は記録簿を書庫に収めるばかりとなっていた。

「今年の儀式は、例年になく簡素なものであったが、致し方なかろう」

大学は書類を捲（めく）りながら呟くように言った。

「御殿様の御様子は、それほどよろしくないので御座いますか」内記が訊ねた。

「うむ、食が細く、日に日に御窶（おやつ）れになっておられる」周防が頷いて言った。

「ならば、御世継のこと急がねばと思われますが」刑部がうっかり口を滑らした。

「滅多なことを申すでないぞ、縁起でもない」周防は若い刑部の軽口を嗜(たしな)めた。

しかし言っては見たものの、周防の胸の内は刑部と同じであった。

　正保二年、忠宗が跡継にと思っていた次男の従五位下越前守光宗が十九歳の若さで急逝した。

母は正室振姫であった。

その翌年の正保三年八月、側室貝姫の子で七歳の巳之助、後の綱宗は初めて将軍徳川家光に御目見得した。

光宗亡き後、巳之助を伊達家の後継者として将軍に披露し、認知を得たのだった。

九人いた息子のうち、跡継に当たる嫡流の者は、巳之助一人しか残っていなかった。

忠宗には後がなかった。

この跡継ぎを巡る仙臺藩の動揺が、後に誰しも予期せぬ大事件の発端ともなった。

　藩政を預かる茂庭周防は焦り悩んでいた。

藩主忠宗の容体が思わしくない、早く家督相続を決めて貰わなければならない。

一門衆からは家督を誰に相続させるのか、忠宗様に御伺いするようにと、度々催促されてもいた。

忠宗は自分の最期を意識しつつも、跡式(あとしき)について中々表明することを躊躇(ためら)っていた。

　――綱宗が謹慎のまま自分が死んだら或いは廃嫡と為りかねず、そうなれば藩内は混乱して最悪の場合仙臺藩は取り潰しの運命となるかも知れない、どうすれば良いのだ。

忠宗、綱宗父子の間には昨年来「不和」があった。

忠宗は酒乱癖の綱宗に酒を断つように命じて一滴も飲ませず、正に謹慎に等しかった。

五月の或る日、周防は古内主膳重広と向き合っていた。

主膳重広は七年前の慶安四年に筆頭奉行に就任していたが、前年四月に奉行を辞し、息子の古内肥後重安が新たに奉行職を継いでいた。

「古内殿、この儀、どうしたものでござろうかのう」

周防は主膳に聞いた。

「茂庭殿も既に御存知で御座ろうが、御殿様が綱宗様への相続を躊躇っておられるのには、それなりの訳が有ってのこと」主膳は腕を組みながら答えた。

「それは、例の大酒の件に御座るか」

「御殿様が綱宗様に断酒を御命じになってからは、互いに不和になられた」

綱宗は酒を好んだが、大酒を飲んだ挙句にしばしば酒乱した。

綱宗謹慎のままに忠宗が死去することになれば、藩内の混乱は必至であろうことは、家中の誰もが不安視していた。

「それに・・」主膳が声を潜めた。

「例の将軍家への憚り事で御座るよ」

「やはりのう、御殿様はこのような事になるとは思いも及ばなかったのでござろう」

主膳が言う将軍家への憚り事とは、綱宗の年齢のことであった。

幕府のきまりでは、武家の成年は十八歳以上であった。

寛永十七年生まれの綱宗は万治元年のこの年、数え十九歳であったが、正式の出生届が幕府に出されたのは寛永二十年で、綱宗は未だ十六歳の未成年として捉えられていた。

これには深い訳があったのだが、忠宗の心配をよそに幕府当局は既にその経緯は承知していた。

「もし、どうしても廃嫡（はいちゃく）となれば・・」

主膳の目が光った。

「そ、それは絶対に避けねばならぬ、第一、一門衆が黙ってはおるまい、あの兵部殿が藩主の父親になるなど、あり得ないこと、いや、あってはならないことでござる」

周防は思わず高揚した。

兵部とは一関に知行八千八百石、伊達の分家伊達兵部宗勝であり、兵部は伊達政宗の十男で、忠宗の弟であった。

綱宗が廃嫡となれば、三代藩主に最も近い者は兵部の嫡男東市正（いちのかみ）であった。

　七月、周防は病床の忠宗を見舞った。

「御殿様、何卒跡式のこと、お言葉を・・」

見舞いの挨拶を述べた周防は、仰臥する忠宗に近付き、耳元で言葉を掛けた。

――今日しかない、何としても綱宗様を跡継に認めて頂かねばならぬ。

既に土気色になった忠宗の顔を見ながら周防は心を決めた。

周防の声が聞こえたのか、忠宗は微かに目を開け口元が動いた。

「巳之助を頼む・・」

周防の耳には、そう聞こえた。

「確かに受け賜りましてございます、何卒御安堵下さりませ」

周防は忠宗が息子綱宗を幼名で表したことに、言いようもない感慨を受けた。

病の床に伏した父親の脳裏に去来するものは一体何であったろうか。

天下の大大名と言えども人の親、子を思う気持ちには変わりはない。

周防の膝に涙が零れた。

「各々方、たった今、御殿様から綱宗様を御立てになるようにとの御言葉がござった」

涙を拭った周防は側に控えていた忠宗の側近、山口内記と真山刑部に向き直った。

藩主からの命を受けて、二人は深く平伏した。

藩政を預かる周防は、ようやく綱宗相続の遺命を引き出すことが出来た。

この三日後の万治元年七月十二日、仙臺藩二代藩主陸奥守伊達忠宗は没した。

享年六十であった。

八月六日、仙臺で忠宗の葬儀が行われ、伊達一門、一家を筆頭に重臣家中全てが参列した。殉死者は家臣十二人、陪臣四人の十六人であった。

三代将軍家光のこの時期は、未だ殉死は禁止されておらず、幕府が禁止令を出すのは四代将軍家綱の寛文三年のことである。

殉死者の中に先の奉行古内主膳重広がいた。

主膳はその死にのぞんで息子肥後重安らに綱宗君の大酒と、家中に及ぶものなき兵部殿の才智が心配であると言い遺した。

若い肥後重安には、兵部の才智がなぜ心配しなければならないのか、未だ理解できなかった。

しかし、数年の後には父の遺言が正しかったことを、嫌というほど気付かされるのであった。

幕府に家督相続の願いを出して一か月余り、幕府からの許可が下りないことに苛立ちと不安が高じていた矢先、九月三日になってようやく綱宗の相続の許しが下された。

綱宗十九歳、三代藩主の誕生である。

相続の許可が遅れたのは、江戸城全焼で大半の文書が失われていたからであった。

前年の江戸の大火に続き今年の忠宗の死去と言い、仙臺藩にとっては大変な日々が続いた。

そのような中での綱宗三代藩主襲封は、家中は無論のこと、市中にも安堵の空気が流れた。

だが、その喜びとは裏腹に江戸では懸念される出来事もあった。

綱宗が家督相続を許された日から間もなく、芝の浜屋敷の本建築が落成した。

伊達兵部が列座した祝宴のさなか、綱宗はまたも酒乱した。

先に上京していた奥山大学が酒を勧めたという。

亡き父忠宗と交わした綱宗の断酒の誓いは、忠宗の四十九日が済むか済まぬうちに破られ、古内主膳が危惧したことが起きたのであった。

（四）仙臺堀

忠宗の葬儀が終わってから直ぐに、江戸にいる伊達兵部と綱宗からの書状が度々茂庭周防の元に寄せられた。

「殿、兵部様からは、何と」周防の家老が、書状を読み終わった主に聞いた。

「うむ、国許のことは儂に任せると」周防は何食わぬ顔で茶を啜った。

書状には、他に何事も急ぐこと無きよう、また亡き忠宗様側近に気配りするようにとあった。

「ふん、そんな事は百も承知じゃ、儂を何だと思っているのか」

不快感を見せて、周防は書状を放り、また茶を飲んだ。

前々から分家伊達兵部と奉行茂庭周防は、何かと反りが合わなかった。

十月には綱宗付の重臣であった大条兵庫宗頼（おおえだひょうごむねより）が、あらたに奉行に任命された。

これにより、奉行は茂庭周防・奥山大学・古内肥後・大条兵庫の四人体制となった。

さらに十一月には綱宗から役人替えの考えが示され、江戸表の家臣を中心に大幅な人事変更に着手する旨の書状が届いた。

そのような折、茂庭周防の元に原田甲斐が訪れた。

「藩主になられたばかりの御殿様が、これほどの役人替えが御出来になるとは思えぬが、これは兵部殿の差し金ではあるまいか、其許(そこもと)はどう思う」

「そうかも知れませぬが、滅多なことは申されぬほうがよろしかろうと」

「無論、儂ひとりの推測に過ぎぬ、それにこの後も役替えがあるとのお考えじゃ」

「御殿様は国許の役替えもお考えなのでしょうか」

甲斐は胸の内に熱いものが込み上げるのを抑えながら周防の答えを待った。

「御殿様の御国入りの際に、有るかも知れぬな」

——もしかして望みが叶うかもしれない、奉行の夢が。古内も茂庭も奥山も、自分より若くして奉行になった、あの大条にまで先を越されてしまった、我が家は譜代の宿老、奉行は約束されているはず。

元和四年生まれの甲斐は、この年四十歳、評定役となって丸十年だった。

残りの人生を思えば、出世を焦る気持ちは弥増すばかりであった。

甲斐は、自分が評定役のままで隠居するのか、奉行職で家督を帯刀(たてわき)に継がせることが出来るのか、原田家の行く末を占う大きな課題だと思っていた。

「何事も急ぐな、と言っている割には随分と急なことではないか」周防が腹立たしそうに言った。

「御殿様の藩主としての気構えの表れでございましょう」甲斐はさらりと言って退けた。

年の瀬も迫る中、仙臺藩には何かと出来事が多い時節であった。

閏十二月には、綱宗から兵部宗勝に対して七千石の加増があり、これにより兵部の知行高は一万五千八百石となった。

綱宗は、側に仕えて何かと頼りになる兵部に、加増をもって応えたと見られた。

御殿様を動かせる兵部の力は大きいと甲斐は思った。

甲斐の気持ちには藩切っての実力者、兵部に傾倒し始める兆しが見えた。

同月、綱宗は左近衛権少将兼陸奥守となった。

また同月、幕府から国目付が派遣されるとの報せが入った。

翌万治二年の仙臺藩は一門以下、家中全てが多忙を極めた。

一月には国目付が仙臺に到着し、一門以下の重臣を召し出して、将軍からの条目を言い渡した。

そして恒例どおり国目付に対する饗応の宴も開かれた。

この時は列座の席次には何等問題はなかったが、後に席次を巡って大きな争いがあった。

そして、四月に初めての入国を許されていた綱宗が五月十四日に仙臺に着いた。

この綱宗の御国入りが、最初で最後になるとは、誰一人予想だにしなかった。

　在国中の綱宗は、塩竈神社や名取郡の熊野神社などへの参詣、知行宛行状の発給や知行替、鷹狩、領地検分などを滞りなくこなした。

そうした中、評定役原田甲斐に綱宗からの大命が下った。

亡くなった忠宗の霊廟感仙殿の造営と、塩竈神社の修造普請の総奉行を命じられたのだった。

だが普請工事は文官たる評定役にとっては専門外のお役目であり、素人の甲斐は大いに困惑した。

「惣左、此度のお役目は儂にとって初めてのこと、何としたらよかろう」

甲斐は家老堀内惣左衛門に弱音を吐いた。

「殿、そのような弱気では、お役目は務まりませんぞ、しっかりなされませ」

言ってはみたものの、惣左衛門にとっても雲を掴むようなお役目であった。

普請始めの吉日にあたり甲斐は斎戒沐浴して同心町の梁川八幡に詣で、普請工事の安全を祈った。

原田家の総力を挙げた行列は、出陣の隊列を思わせて市中の目を引いた。

陣笠を被り鞭を握り締めた馬上の甲斐は、祖父左馬助宗時（さまのすけむねとき）が伊達政宗に随い、武功をあげた姿を脳裏に浮かべていたのかも知れない。

しかし、甲斐の心配は現実となって工事は難航し、完成までには六年の歳月を費やした。

二年前の江戸大火修復の影響で、大工や人夫あるいは資材の不足に悩まされたことも工事の進捗を遅らせた原因ともなった。

甲斐が普請に力を傾注している間に、七月まで滞在していた国目付は領内の検分を終えて江戸に戻った。

　明けて万治三年二月、仙臺城二の丸に重役たちが顔を揃えた。

藩に対して幕府から江戸城小石川堀の手伝普請命令が出されたのだった。

小石川堀は江戸城北側を囲う外堀で、神田川に繋がっていた。

舟が通れるように牛込から和泉橋までの間を浚渫（しゅんせつ）し、あわせて堀の両岸の土手を修復するという大工事であった。

藩は片倉小十郎景長、茂庭周防、後藤孫兵衛近康、真山刑部らを普請総奉行に任命した。

「大火の復興が未だ済まぬというに、厄介なことよ」

「また借財が増えることになる、困った」

出入司の山口内記や真山刑部が溜息をついた。

仙臺藩は常に深刻な財政難にあった。忠宗の代に四万両に達していた借金が、綱宗の代で大火の復興事業と小石川堀普請の課役などが重なり二倍以上に膨れ上がった。

財政難の主な要因は、幕府から仰せ付かる課役と参勤のための経費にあった。

仙臺藩は、収入の大半を「米」に頼っていた。

仙臺米は、江戸市中に出回る米の多くを占めていた。

しかし、米はその年の豊凶による収穫高の不安定さ、米相場変動により左右される価格など、危険が付き纏った。

全国的な商品生産の活性化と経済成長にある中、仙臺藩の「米」に偏った政策は、財政難を克服するための施策に欠けた側面を持っていた。

後年、元禄の頃には仙臺藩が蔵元としていた京都や江戸の豪商が、藩からの借金返済が滞り破産を余儀なくされる事態ともなった。

綱宗は江戸参勤のため三月二十一日仙臺を発ち、二十八日江戸に到着した。

藩主を襲封して二年の綱宗は、二度と国許仙臺の地を踏むことはなかった。

「やれやれ、お帰りになられた」屋敷に帰った甲斐は、着替えを済ませて座った。

甲斐は仙臺と塩竃の普請のため長く屋敷を留守にしていたが、綱宗の参勤を見送るために久しぶりの帰宅であった。

「ご苦労様でありました、お肩をお揉みしましょうか」女房の律が労った。

「普請の方は未だ終わりませんのか」

「うむ、もう少しというところだが」

思うように進まない普請に悩んでいることを、妻には言えない甲斐であった。

二人が話をしているところに、廊下の障子越しに声が掛かった。

「失礼をいたします、膳の用意が出来ました」

「おう、丹三郎（たんざぶろう）か、入れ」

夕餉の膳を運ぶ女中を連れて、若い侍が入ってきた。

「丹三郎、お前も一緒に食え」甲斐は若い侍を手で招いた。

塩沢丹三郎は、原田家の下士の一人息子であった。

船岡の原田館に奉公していた丹三郎を甲斐が目を掛けて、小姓のような役をさせていた。

十四歳の塩沢丹三郎は、甲斐の嫡男帯刀宗誠（たてわきむねもと）と同じ歳だった。

次男仲次郎は十二歳、三男喜平次は十一歳、四男五郎兵衛は十歳であった。

「さあ、飲め」甲斐が丹三郎に杯を手渡し、律が酌をした。

「恐れ入ります」丹三郎は緊張したと見え、口に運んだ酒が震えた。

「丹三も疲れたでしょう、今宵はゆるりとしなされ」

律は丹三郎を丹三と呼んで、息子たちと同様に可愛がった。

「お前も、どうだ」甲斐は律に酒をすすめた。

「では、一杯だけ」律は甲斐が差し出した杯を受けて丹三郎の酌で飲んだ。

「船岡のご両親や、兄弟は変わりありませんか」

「はい、おかげさまで達者でおります」

丹三郎も嬉しそうであった。

「おう、そうだ、丹三と一緒に船岡に行ってみてはどうだ」

甲斐が律に話しかけた。

「でも殿様も惣左殿もお留守の間は、屋敷を空けるわけには参りません」

「その心配はなかろう、留守居役が居るではないか」

「皆さんのお世話をするのにも女手が要りますし、またの機会にしましょう」

律の答えは、歯切れが悪かった。

律は好んで船岡には行こうとはしなかった。気位が高く、何かというと家格を引き合いに出す、姑の
慶月院が嫌いであった。

甲斐が中々奉行に出世できないのは、嫁の所為だなどと、謂れのない嫌味を言われることがあってか

らは、船岡には滅多に行かなくなった。

律が話を逸らし、しばらく三人の夕餉が続いた。

「殿、明日の支度もありますので、これで失礼いたします」

丹三郎は馳走になった礼を言い、部屋を出た。

そろそろ日も落ちかかり、甲斐の座る部屋に灯火が持ち込まれた。

甲斐は徳利と杯を持って廊下に座った。

西の空に染まる夕焼けを見ながら、ひとり酒を楽しんだ。

「酒か・・」甲斐が杯の中の酒を見詰めながら呟いた。

「今、何かおっしゃいましたか」律が甲斐の側に座った。

「いや、なに、酒とは不思議なものだ、薬にもなるが毒にもなる」

「急にどうなさいました、酒がどうとか」律は怪訝そうに訊ねた。

「御殿様のことを考えておった」

「御殿様がどうかなさいましたのか」

「三代様の酒がなあ・・」

甲斐は溜息をついた。杯に満たされた酒は夕日を映し血の色だった。

その色に何か言いようもないものを感じた甲斐は、飲まずに杯を置いた。

(五) 大酒・乱行

万治三年五月十九日、小石川堀の普請始めが執り行われた。

人夫役は高一万石に百人が通例で、仙臺藩六十二万石で六千二百人である。

総延長約一里のうち堀浚いが六六〇間の大工事の始まりであった。

綱宗から片倉小十郎と茂庭周防に条目が下され、これを普請小屋の前に立てた。

普請が始まって数日経ったある日、普請小屋に揉め事が起きた。

「若輩が、その言い草はなんじゃ」

人足の監督をしていた目付の里見十左衛門（さとみじゅうざえもん）が、同じ目付の坂本八郎左衛門（さかもとはちろうざえもん）に食って掛かった。

八郎左衛門が十左衛門の仕事に難癖を付けたのだった。

古参の目付十左衛門は、以前から新参の八郎左衛門を佞臣（ねいしん）と見て、綱宗に目付を免職させるように訴えていたが、綱宗は聴き容れなかった。

「何を、老いぼれが、さっさと国許に帰れ」八郎左衛門も負けてはいない。

遂には互いに抜刀する構えを見せた。

あわや斬り合いになろうとした時、双方の家来たちが中に入って事無きを得た。

幕府の命を受けて始まった普請の現場で、争い事が起きたと知れては殿様の御為にならぬと自覚した十左衛門は、その日のうちに書面をもって八郎左衛門に抗議した。

『儂は先代忠宗様以来二十四年間目付を勤め、五十歳を過ぎた。お前ごとき若輩が儂に意見など申せる立場か、分を弁えろ。殿様の言われた事なれば同意もいたそうが、お前とは話もしたくないので、このように手紙で済ませているのだ』

この十左衛門からの手紙を見た八郎左衛門は『男道（おとこどう）』が立たぬと言ってきた。

十左衛門は尚更に怒って再び手紙を送って言った。

『お前が男道を云々するなど笑止千万だ、お前の人格は悪くて犬畜生に同じだ。男道の何たるかを教えてやるから家で待っておれ。お前のような神仏の御加護が尽きた者と果し合いをするのは不本意ではあるが、万が一自分が負けて死ぬようなことがあれば、それは何かの因果と諦める、必ず日中には宿所に居れ。人を頼み仲介などさせるな、だがお前はきっとそのようなことをする人間であろう。この事を人に喋ったら男は立たぬと思え。お前を生かしておいては殿様の御為にならぬので、果し合いをするのだ。返事を待つ』

へつらい者に対する里見十左衛門の憤りが爆発した。

しかし、八郎左衛門は表では承諾しておきながら、ひそかに綱宗に垂れ込んだ。

この事態を耳にした大条兵庫、片倉小十郎、茂庭周防が間に入って十左衛門を呼び出し、辛抱するように諭した。

十左衛門は御殿様の御為ならばと言って承諾した。

だがこの時既に十左衛門の言葉どおり、八郎左衛門の冥加は尽きていたのだった。

その頃、堀の普請状況を報告するため、原田甲斐は仙臺に帰っていた。

「殿様のお帰りでございます」

仙台の原田屋敷、中間が甲斐の帰宅を知らせた。

律と家老の堀内惣左衛門が玄関に出迎えた。

「ご苦労であった、ゆっくりと休むが良い」

甲斐のお供をしてきた塩沢丹三郎と家僕が一礼をして下がった。

惣左衛門が甲斐に、伊達一門の岩出山伊達(だて)弾正宗敏(だんじょうむねとし)からお呼びがあったことを伝えた。

「そうか分かった。律、直ぐに出かけるぞ、支度を」

甲斐は玄関に上がるなり律に声を掛けた。

「まあ、お忙しいこと」律は女中を呼びながら奥へと消えた。

「惣左(そうざ)、弾正様から御呼びとは、何があった」甲斐は旅装を脱ぎながら聞いた。

「確とは申されませんでしたが、夜中(やちゅう)に参るようにとのことでございました」

「ふ～ん、夜中にとな」座った甲斐は思案の体であった。

「殿様、お支度が整いました」律が女中を連れて入ってきた。

女中は着物を載せた乱れ箱を持っていた。

「あー、すまぬ、出掛けるのは暗くなってから、未だ時がありそうだ」

「あら、そうでしたの」律は呆気にとられたように、女中と顔を見合わせて笑った。

「惣左と話がある」

甲斐の言葉で二人は部屋を出た。

「惣左、人をやって儂が帰ったと弾正様にお伝えしろ」

惣左衛門は中間を走らせた。

片平丁、別名大名小路の一門伊達弾正の屋敷は原田屋敷の目と鼻の先であった。

「御殿様のご様子を聞いたか」寡黙な甲斐の言葉はいつもどおり短い。

「聞きますところ、相変わらず御行状はおもわしくないようで御座いました」

惣左衛門は控え目に言った。

「う～む、やはりな」甲斐は腕組みをして天井を睨んだ。

「弾正様のお召しは、そのことでありましょうか」惣左衛門は、甲斐を見詰めた。

一門衆が政務について口出しすることは滅多にない。

評定役の甲斐が一門の屋敷に、それも夜中に呼ばれる事など、余程のことであった。

　戌の刻五つ、甲斐は惣左衛門を伴って伊達弾正の屋敷門を潜った。

夜の大名小路は出歩く人も無く、中間の持つ提灯が闇に揺れるだけであった。

「原田殿、待ちかねておった」

甲斐を待っていたのは弾正だけではなかった。

同じ一門の角田石川民部宗弘（いしかわみんぶむねひろ）、登米伊達式部宗倫（だてしきぶむねとも）、涌谷伊達安芸宗重（だてあきむねしげ）、亘理伊達安房宗実（だてあわむねざね）、水沢伊達（だて）和泉宗直（いずみむねなお）、岩が崎田村右京宗良（たむらうきょうむねよし）、それに宿老の遠藤文七郎俊信（えんどうぶんしちろうとしのぶ）が既に集まっていた。

「遅くなって申し訳ありませぬ」

挨拶を済ませた甲斐は、場の空気に何か徒ならぬものを感じた。

「早速だが、今日この場での談合は、構えて他言なきように」弾正が口火を切った。

「御殿様の酒の上での行状のことは、既に御一同の存知おるところと思う」

甲斐は弾正の口から綱宗の酒、との言葉が飛び出したことに、この集まりの目的が何であるか、直ぐに合点がいった。

綱宗の不行義については家中の誰もが知るところであった。

遊乱に耽る綱宗は、江戸を預かる伊達兵部や茂庭周防の諫めも聴かず、ましてや伊達の親族立花飛騨守忠茂や池田光政の忠告も効を奏さず、ついには老中酒井雅楽頭忠清を煩わせることとなっていた。

「前君の断酒の命も、とっくに反故になされてしまった」安芸が唸った。

「嘗て前君に殉じた古内主膳が危惧していたとおりとなってしまった」式部も頷いた。

「御一同お待ち下され、今更に酒の云々を語っている場合ではござらん、この談合は兵部殿からの書状のことでござる」

弾正は江戸から届いた兵部の手紙を掲げた。

「御殿様の御行儀の事は既に老中方にも達し、雅楽頭様は直接御殿様に意見されたそうでござる」

弾正はぐるりと一同を見回した。

「それでも、御殿様の行状は改まらないということでござるか」右京が聞いた。

「小石川堀の普請場から遊郭に通ったり、夜行も目にあまるので周防は夜に待ち伏せしてまで諫言に及んだということではないか」石川民部が吐き捨てるように言った。

「老中の意見も聴かないということは、幕府に背くことと同じ、また堀の普請は将軍の命令による軍役であれば、そこからの遊郭通いは幕府を軽んじる不謹慎な行為、このままでは御家の滅亡につながる一大事でござる」

「兵部殿からの書状では、御家の危急について立花飛騨守様の邸に寄り合い、大条兵庫、片倉小十郎、茂庭周防を呼び出して内談したところ、御殿様に隠居を願って、幕府から亀千代様に相続を仰せ付けられるように、重臣揃って連判のうえ願い出るしかなかろうということになった。まもなく奥山大学が連判のことで参るので、宜しく御加判を願いたいとのことでござる」

弾正は兵部の書状を一同に紹介した。

暫し静寂の時が流れたが、直ぐにまた意見が飛び交った。

「うむ、御家の危急存亡とあらば致し方あるまい」

「他に方法はないのでございますか」文七郎が恐る恐る聞いた。

「この後に及んで他の手などあるまい、国許が手を拱（こまね）いていたのでは手遅れになる、連判状を認め大学が着いたら直ぐに江戸に持たせよう」

「原田殿はどうかな」

それまで一言も発しなかった甲斐に一同の目が向けられた。

「はっ、宿老は御奉行と共に連署するのが慣わしでございますれば」

甲斐はさらりと言って頭を下げた。

かくして、万治三年七月九日、伊達家一門以下重臣十四名の連署状をもって、立花飛騨守、伊達兵部を介して綱宗隠居と亀千代相続が幕府に出願された。

伊達の一門、奉行、宿老が連署したこの文書は、言うまでもなく伊達家の最重要文書であると同時に、伊達家中の総意を反映した文書でもあった。

綱宗の不行跡がこれ以上昂ずれば、伊達家は滅亡に瀕する。

それは全家臣団の生活を根底から破壊し、一族揃って路頭に迷うことを意味する。

綱宗の隠居願いの理由は、「病」ということであった。

六十二万石の大名を隠居させる理由が「大酒・乱行」では恰好がつかないのだ。

(六) 綱宗逼塞

万治三年七月十八日、老中酒井雅楽頭忠清(さかいうたのかみただきよ)邸に、立花飛騨守忠茂、伊達兵部少輔宗勝、片倉小十郎景長、茂庭周防定元、原田甲斐宗輔が呼ばれ、綱宗の逼塞(ひっそく)を命じる旨の将軍徳川家綱の上意が伝えられた。

その後七つ過ぎ、小石川の普請場から芝の浜屋敷に帰った陸奥守綱宗は、立花飛騨守、伊達兵部が同座のもと、上使太田摂津守資次から逼塞の幕命を告げられた。

綱宗が逼塞に追い込まれた経緯について、伊達家臣による綱宗排斥の動きとは別に、綱宗が後西天皇との関係によって幕府の忌諱に触れたことも一因であった。

言わば綱宗は内と外から排斥されたことになった。

「江戸の飛騨守様と兵部殿から書状にござる」

綱宗隠居と亀千代相続の願書に名を連ねた在国の奉行と一門が、伊達弾正の屋敷に再び集まった。

「去る七月十八日殿様逼塞の上意が下された、尚小石川堀普請の継続を命じられたので、国許は騒がず安堵せよ」という書状の中身が読まれた。

「逼塞か・・」覚悟を持って願書に連判をした者達ではあったが改めて溜息をついた。

「亀千代様の相続については、何も書いてはないのでござるか」

「うむ、それについては何も」

「普請の継続とは、御国が存続するということか」

「そう採れますな、先ずは一安心という所でありましょうか」

普請継続は藩の存続を意味していた。

綱宗逼塞下命の翌日十九日、江戸の藩邸に衝撃が走った。

綱宗の近臣、江戸番目付の坂本八郎左衛門、槍術指南の渡辺九郎左衛門、納戸役の畑与五右衛門、宮本又市の四人が斬られた。

綱宗の放蕩を煽った廉による成敗であった。

「白日のもとでの斬殺とは、また思い切ったことをした、しかも四人も」

「いやいや、渡辺金兵衛と渡辺七兵衛らの四、五人が組んで闇討ちにしたらしいぞ」

「金兵衛とは、最近召しかかえられた者で、もとは牢人だというではないか」

「九郎左衛門は引田流槍術の達人だと聞いておるが、そんな手練の者を斬ったのか、金兵衛とはそれほどの者か」

「裁きも無く即刻の処断とは前例がないことだ」

「それほど、彼らの罪は重いということであろうな」

「先日、十左衛門殿が八郎左衛門に果し合いを挑んだ時も、八郎左衛門は殿様に助けを求めたというではないか、男も立たぬ君側の奸ということだ」

「与五右衛門のところでは、女房までやられたというではないか」

「成敗された四人の家人の話では、斬った者たちは上意討ちと叫んでいたというが、おかしいとは思わんか」「おかしいとは何が・・」

「上意とは主君の命令や考えをいうのであろう、我が藩の主君は綱宗様だぞ、前の日に逼塞を申し渡されたとはいえ、次の藩主が正式に決まらぬうちは未だ藩主であろう」

「いや、綱宗様の逼塞と同時に亀千代君の相続が許されたのだから、今度の成敗は亀千代君の命令ということになる」

「わずか二歳の幼君が成敗の命を下す訳がなかろう、お奉行の独断に違いない」

国許との連絡を待たずに行われたこの成敗は、江戸詰奉行茂庭周防のはからいで、伊達兵部、田村右京及び大条兵庫、片倉小十郎、原田甲斐らの諒承のもとに行われた。

四人を成敗したことは、その日のうちに幕府に届けられた。

伊達の親類筋は無論のこと、幕府老中方をも煩わせたことに対する、仙臺藩としての謝罪の意味を込めた行為であった。

しかし、藩政の最高責任者である奉行の命令とはいえ、裁判による建前を破って強行されたこの処刑は、少なからず伊達家中に驚きを持って語られた。

万治三年八月二十五日、幕府から亀千代の家督相続と綱宗の隠居が正式に命じられた。

伊達家中は、身分の上下を問わずようやく安堵した。

藩の安泰は、家臣たち自身の安泰に他ならなかった。

幼君亀千代の後見人として伊達兵部宗勝と田村右京宗良が任じられ、それぞれ藩領から三万石を賜ることとなった。

そして、奉行衆は二人の後見人の指導を受け、立花飛騨守を最高の相談役とする藩政の運営体制が指示された。

また幕府は、仙台領内の監視役として毎年国目付を二人ずつ派遣することとした。

国目付は、毎年春と秋に仙臺に下って、半年滞在して江戸に帰るのが例となった。

三日後の二十八日、幕府は諸大名に綱宗の隠居と亀千代相続のことを伝えた。

全国の諸大名は、仙臺藩の藩主相続を巡る経緯を見極め、藩主と家臣の何たるかを肝に銘じた。

江戸の伊達兵部邸の広間に立花飛騨守をはじめ片倉小十郎、後藤孫兵衛、真山刑部など小石川普請にあたる重臣たちが招かれていた。

その中に七月以来江戸に滞在している原田甲斐もいた。

しかし後見役の田村右京と筆頭奉行の茂庭周防の姿がそこには無かった。

「やれやれ、これで大きな山は越えた、ご一同ご苦労でござった」

兵部はいつになく上機嫌で、集まった者たちに慰労の酒が振舞われた。

心配の種だった綱宗は除かれ、亀千代の後見人と同時に、幕府直参としての権威と、破格の加増を手にした兵部の喜びは大きかった。

「此度は飛騨守様の御諫めを頂戴し、新君の家督相続が許されました、飛騨守様は仙臺藩にとって命の恩人にございます、某(それがし)これからは亀千代君の御為に身命を掛ける覚悟でありますれば、これからも御指図を下さいますよう御願い申し上げます」

兵部の飛騨守に対する謝辞は甚だ大袈裟であった。

「兵部殿と一緒であれば心強い、後見のこと宜しく頼むぞ」飛騨守は笑って答えた。

しかし、二人の遣り取りを見ていた同座の者たちは、何か違和感を持った。

——亀千代君の後見人は兵部様と右京様のはず、これでは飛騨守様がもう一人の後見人のように見える、何故この場に右京様がいないのだ。

「田村様のお姿が見えませぬが」後藤孫兵衛が、座敷を見渡して聞いた。

「うむ、何やら具合が悪いとかで、今日は参らぬ」飛騨守に酒を勧めながら、兵部は意に介さぬ風だった。

伊達兵部と田村右京の二人の間は当初から乱れがちであった。

十一月には、右京は老中に対して綱宗の再勤を願い出たり、三万石の加増分の返上を立花飛騨守に申し出たりしたが、双方とも受け容れられなかった。

綱宗を隠居に追い込み、亀千代を擁立して後見人となって三万石の加増を手にしたのは、兵部の私曲があったからとの噂があった。

右京はそのような兵部と同類とみなされるのを避けたかった。

兵部、右京両後見人体制を形式として藩政が展開されることにはなっていたが、実際には兵部、飛騨守の両人による後見政治が進められる様相を呈していた。

「綱宗様にはお気の毒なことでありました」

江戸愛宕下の田村右京邸に茂庭周防が訪れていた。

「そもそも、綱宗様は藩主に成るべくして成られるお方ではなかった」

右京は袂に手を入れて、思案顔で言った。

「人の巡り合わせというものは皮肉なもの、時として人の運命を狂わすこともある」

「誠に、光宗様が若くして亡くなられたことが元でありました」

「忠宗様に綱宗様相続を願ったのは、茂庭殿であったのでござろう」

「確かに、忠宗様のお子で嫡流の血を引くのは綱宗様だけでございました」

周防は弁解する様子もなく続けた。

「相続が決まらないままに忠宗様が御他界なされたらそれこそ御家の一大事、なんとしても御下命を下さるように願ったのでございます」

「うむ、然も有ろう、致し方がなかったということでありますかな」

「綱宗様は決して藩主としての資質に欠けていたわけではなかったが、酒癖の悪さという、拭えない気性が仇となった」右京は茶をすすった。

「綱宗様に王道の何たるかを教える暇も、教える者もいなかったのが悔やまれます」

「ところで、先頃兵部様の邸で集まりがあったそうですが」周防が聞いた。

「儂は行かなかった」右京は目を逸らし、周防はそれ以上聞かなかった。

第二章　藩政の乱れ

（一）茂庭周防の失脚

万治三年十月、国許の奉行奥山大学常辰が江戸にのぼり、筆頭奉行茂庭周防の追い落としをはかった。大学は、周防が綱宗に悪事を勧めたことが綱宗の隠居に繋がった、周防を罪科に処すべきだとまで訴えた。

これに対し右京は不快感を示し、周防を弁護したが、兵部と飛騨守の大学支持にやぶれた。

これには万治元年の兵部に対する加増に際しての経緯が尾を引いていた。

当初の加増は七千石であったが、大学の提案によって一万五千石に引き上げられた。

周防の案はこれより少なかったことが裏にあった。

伊達兵部と田村右京の間に吹く隙間風は、奉行の間にも吹き始めた。

寛文元年三月末、約十か月の月日と四万一千両余の費用をかけた小石川堀の普請が竣工した。

仙臺藩の借財は益々膨らんだ。

小石川堀の普請が終わって間もない四月十八日、周防は奉行を辞職した。

理由は病気ということであったが、実は大学の言を容れた兵部の圧力による罷免であった。

「よく来てくれましたな、ささ、お座り下され」

原田甲斐が周防の邸を訪ねていた。

「周防様には御健勝の段・・」

「挨拶などよろしい、今日は国許の話など聞かせて下され」

甲斐の挨拶を遮って周防は、近くに寄るように手招きした。

「お役目を辞されたと聞き驚きました、伏せておられるのかと」

血色の良い周防はとても病気には見えなかった。

「はは、方便じゃよ原田殿、貴方は変わらずに正直なお方だ」

明るく笑う周防に、辞職をした失望感は感じられなかった。

「どうして、お辞めになられたのですか」甲斐の質問は朴訥であった。

「まあ、疲れたということでしょうかな、火事の復興、先代様の逼塞隠居に亀千代様の相続、おまけに堀の普請と、休まる暇が無かった」周防は溜息をついた。

やがて膳が運ばれ、周防の奥方が甲斐に挨拶に見えた。

「国許のご家族はお変わりありませんか」

奥方は甲斐に酒をすすめながら聞いた。

「はあ、皆達者でおります」寡黙な甲斐の答えであった。

「律様にお会いしたいものですが、中々帰ることが出来ません」

「儂のお役目も終わった、そろそろ仙臺に帰るか、もう江戸には飽き飽きした」

目を細めて周防が間に入った。

「お郷が恋しゅうございます、あちらには縁者の方や親しい人もおりますし、景色もよろしいし」

故郷を懐かしく想う奥方は、まるで夢見る少女のようであった。

江戸詰の多くが女房子供を国許に置いてきているが、江戸の生活が長かった周防は女房を江戸に呼び寄せていた。

甲斐は国許を懐かしがる二人をよそに、江戸の生活を満喫していた。

一頻り（ひとしき）談笑した奥方が部屋を出て、周防がまた喋り始めた。

「ところで、原田殿はお幾つになられた」

「確か、四十二か三だったと・・」

甲斐の答えに周防は胸の内で微笑んだ。

「評定役を何年勤められた」

「十三年になりますか」

「もう奉行でも良かろうにな、二年前の綱宗様入国の折、一連の知行替・役替に際して儂は原田殿の奉行就任を願ったが叶わなかった、すまぬと思っておる」

「その節は、お力添えを頂きましたこと、有難く存じております」

甲斐は持った杯を膳に置いて、膝に手をついて軽く会釈した。

「儂が奉行を辞してまた一人不足しておる、原田殿を推すには良い機会と思っておる、近いうち両後見に会って頼んでみよう」周防は杯を傾けた。

仙臺藩では元々奉行は六人制で、国詰二人、江戸詰二人、在郷休息が二人という形で交替するのが建前であった。

周防が失脚した寛文元年四月現在の奉行は、奥山大学、古内主膳（万治二年肥後から改名）、大条兵庫、柴田外記朝意、富塚内蔵丞重信の五人であった。

「宜しくお願い申し上げます」

周防の杯に酒を注いだ甲斐の胸は奉行昇進の期待で高鳴った。

「その上で国許に帰ろう、女房と一緒に物見遊山だわい」

周防は愉快そうに笑った。

原田家と茂庭家は婚姻を通じた親戚であり、また妻の実家津田家との姻戚関係もあって、夫々奉行・評定役を務める大身三家は強い絆で結ばれていた。

更に、伊達政宗の遺子高清水五千石亘理伯耆宗根を叔父にもつ甲斐は、二代忠宗に寵愛されてもいた。

筆頭奉行茂庭周防の失脚後、古参の奉行奥山大学の権威は決定的となり、やがてそれは専横と評されるまでになっていった。

外記と内蔵丞は前年の万治三年十二月に奉行に進められたばかりであったし、この年寛文元年十一月には古内主膳重安が病死した。

翌寛文二年一月には大条兵庫が隠居し、代わってその子監物宗快が奉行となった。

奥山・柴田・富塚・大条の四奉行とは名ばかりで、実際は大学の独壇場であった。

前年の三月には大学の知行高が三千石から一気に六千石と倍増していた。

これには立花飛騨守と伊達兵部から老中酒井雅楽頭らへの強い要請があった。

兵部と飛騨守の後ろ楯を得た大学の増長振りは、次第に度を超すものとなった

　そのような状況の或る日、田村右京の邸に里見十左衛門重勝（さとみじゅうざえもんしげかつ）が訪れていた。

前藩主綱宗の放蕩を煽ったとして成敗された坂本八郎左衛門に、果たし状を突き付けた十左衛門は、小石川堀の竣工に功があったことが認められて、目付から小姓頭に昇進していた。

「堀の普請ではご苦労であったな、お蔭で大命を果たすことが出来た、これで仙臺藩の体面が保たれたというもの、里見殿も出世の由、何よりも重畳（ちょうじょう）」

右京は笑顔で十左衛門と対面した。

「総奉行様以下、多くの方々のお蔭をもちまして」

十左衛門は深く辞儀した。

「今日は、何かご用かの」

右京は十左衛門の気性から話の向きは想像がついていた。

「奥山様からのお呼びにより久々に国に下りますので、ご挨拶に上がりました」

「おう、そうか、茂庭殿も先日国に帰られた様子、道中気をつけて参られよ」

「ところで奥山様のことでございますが」

やはりな、と右京は胸の中で頷いた。

「この頃の奥山様の行状には、目に余るものがございます」

十左衛門の声は相変わらず大きい。

「田村様も既にご承知でございましょう」

右京は国許の茂庭左月良元に宛てた書状の中で、兵部と飛騨守が他の奉行を差し置いて、奥山大学一人に政治のことを申し付けていると非難していた。

「うむ承知しておる、儂も憂慮しているところだ」

「国許では奥山様弾劾の噂が頻りとか、帰りましたなら、実状をつぶさに見て参りたいと思っております」

帰郷の挨拶を終えて、十左衛門は帰った。

「里見様は相変わらずお声が大きくておられます」

十左衛門を見送った右京の家老、北郷隼人が右京の部屋に戻ってきた。

「声が大きいのは身体が丈夫な証拠だというではないか」

右京は文机に座っていた。

――大学を何とかせねばならないが、兵部と飛騨守が後にいるからには滅多なことは言えない、ここは一番、一門衆の協力を取り付けねばなるまい。

既に、国許の伊達一門衆は大学の先行を憂慮していたが、藩政には妄に口を出すことは出来ず已む無く沈黙をしていた。

一門の重鎮伊達安芸宗重からの書状は、右京に国許の実状を詳しく伝えると共に後見役の力で大学の横暴を抑えるようにと言ってきた。

後見役の実権を兵部と飛騨守に握られた恰好の右京は焦りを感じていた。

（二）伊達兵部と奥山大学

仙臺藩奉行奥山大学常辰の祖は、もと目々沢と名乗った伊達譜代の臣である。政宗の代に奉行をつとめて奥山と改め、勢力をのばした。

常辰は承応三年三月以来奉行をつとめていた。黒川郡吉岡三千石を知行し、四十四歳、家格は着坐である。

大学の権勢と専断は、藩主亀千代の後見人の伊達兵部宗勝と田村右京宗良の二人との対立という構図を見せ始めた。兵部と右京はそれぞれ三万石の大名として将軍直参に列せられていた。

これにともなって、寛文元年五月に兵部と右京の領地絵図が幕府に提出された。

それまで磐井郡一関を中心に一万五千八百石を知行していた兵部は、これを機会に知行地の北端であった衣川の両岸を自分の知行地に編入しようとした。

しかし、大学はこれに反対し、衣川の南岸と河水の半分をもって境界とする「片瀬・片川」に定めた。

翌寛文三年二月、兵部は再び衣川の北岸を取り込んだ絵図を作って、奉行や評定役の承認を取りつけたが、大学はただ一人これに抗して、幕府に提出した絵図のとおりとさせた。

また、栗原郡岩ヶ崎一万五千石から名取郡岩沼三万石となった右京の知行地についても、右京が示した境界をことごとく退け、一方で右京が望んだ領域は地力に劣るとして、大学自身の知行地柴田郡村田を田村領に編入させた。

いかにも右京への配慮のように見えたが、これを機に大学は村田から黒川郡吉岡に知行を替えた。この時の吉岡は仙臺領内で最も肥沃な土地であった。
☆更に、この境界問題と並行して、両後見人の知行地支配をめぐって幾つかの問題が生じた。
事の起こりは兵部の家来が伝馬(てんま)利用の申し合わせを作りたいと大学に申し入れたことが発端となった。伝馬とは街道通交の際に領民から馬と人足を徴発することで、他藩の大名が利用する再は藩同士でその利用方法について申し合わせがあった。

兵部の家来も、参勤交代や将軍へ献上する鳥や肴の輸送のために、この申し合わせの作成を求めたのだが、大学は、それでは後見人は他藩同様になってしまうと難色を示した。

それから、大鷹(おおたか)を将軍に献上しようとした右京に対して大学は、大鷹の献上は本藩たる仙臺藩からするものではないかと懸念を伝え、確保した大鷹は本藩に送るよう求めた。

これに関係して、兵部と右京が初鳥(はつとり)や初肴(はつざかな)を独自に将軍に献上することについても、本藩と別に献上することは好ましくないと抗議した。

また、百姓が逃散(ちょうさん)して領内の労働力が減少することを防ぐために、大名間では「人返し(ひとがえ)」の協定が結ばれていた。だが、田村領に逃散してきた山形の百姓を右京が本藩に無断で送還し、相互送還の申し合わせを作ると知った大学は、隣国の相互送還は初代伊達政宗公以来、本藩の権限だと主張した。大名領では、他領との境に番所を置いて通過する物資に口銭（くちぜに）という税を課したり、「留物（とめもの）」と称して特定物資の移出入を禁止していた。

留物であっても藩の許可状（通判（とおりはん））があれば通過できたが、右京の家来から、通判ではなく田村家の承認書で通行させたいとの申し入れがあったが、大学はこれを拒否した。それに加え大学が最も警戒したのが兵部・右京両後見人が独自に立てた制札の問題であった。

制札とは各種の禁令を町内の路傍に掲示したもので、制札を立てるものは統治者である藩主であり、後見人領も亀千代領内であるという主張であった。

兵部と右京が本藩の仕来り（しきたり）とは別に、自領内で独自の制度を様々に発効させたとして、危機感を抱いた大学は両者を糾弾した。

「相定候制札之事、夫伝馬並宿送之事、大鷹之事、初鳥・初肴公方様へ指上候事、他国へ人返之事、境目通判之事」の、いわゆる六ヶ条問題である。

　寛文二年六月のはじめ、大学は久々に国許一関に帰った兵部を訪ねて六ヶ条のことを申し入れた。

「この六つの条目は、いずれも亀千代様の命により、奉行が執行するものであります」

大学は、兵部を恐れることもなく、兵部と右京が自領内で行ったことは、藩主の意思と藩の慣例にそぐわないことであり、それを拝命し実行するのは奉行の専権事項であると主張した。

大学は兵部と右京を独立した大名とは認めていなかったのである。

幼君亀千代の後見役として夫々(それぞれ)三万石を知行され、将軍直参の大名となった二人ではあったが、飽くまでも仙臺領の一部を分与された、いわゆる内分大名(うちわけだいみょう)としての位置づけという解釈であり、それは確かに正論ではあった。

「伝馬や人返しまた留物の件については承諾したが、制札と初鳥・初肴については、雅楽頭様の許可を得て行ったもので、大鷹の件も同様に考えても良いのではないか」

痛いところを衝かれた兵部であったが、大学の主張のすべてを認めようとはしなかった。

そこには藩主後見人として三万石を知行し、幕府直参の大名となった兵部の誇りと意地もあった。

　一関で大学の訪問を受けた十日後、兵部は仙臺の自邸に入っていた。

仙臺城の北、大きく蛇行する広瀬川を見下ろす新坂(にいざか)の兵部宗勝邸に、重役たちが呼ばれていた。

「彼奴め、直参大名の知行に口出しするとは、茂庭周防を追い落とし、筆頭奉行になってからの増長振りは目に余る、それにしても他の三人の奉行が口も出せぬとは」

先ほどから兵部は、頻りに座敷と廊下を行ったり来たりして落ち着かなかった。

「田村様も、お奉行に良いようにされ、ご立腹されているようにございます」

座敷には奉行の柴田外記朝意、富塚内蔵丞重信、評定役の津田玄蕃景康(つだげんばかげやす)の他に目付の渡辺金兵衛義俊(わたなべきんべえよしとし)が座っていた。

「三日前に奥山殿が江戸に向かうと挨拶に見えた。六ヶ条の件は奉行一同で検討すべきではないかと求めたが取り合わず、これが入れられなければ奉行を辞める積もりだし、首尾良くいったとしても両後見人の機嫌を損ねるので自分一人でやるのがよいと、更に」

外記は周りの者をぐるりと見渡して続けた。

「もし失敗すれば、遁世（とんせい）して高野山に入るとも言った」

「そこまで思い詰めるとは、いかにも奥山殿らしい」内蔵丞が苦笑いした。

「そもそも、大学の行過ぎた行状は、誰からも非難されるというではないか、五月に辞めさせておけば良かった」まるで飼い犬に噛まれた形の兵部は忌々しい表情を見せた。

茂庭周防を追い詰めて解任させた大学が、後に自らも辞職を申し出た時に、前藩主綱宗や立花飛騨守また両後見人の留任工作で万全の支持を取り付け、筆頭奉行として登場してきたのであった。

「それについては一門衆の方々、殊に涌谷様が激しく非難なさっておられます」

「存じておる、先日安芸殿はじめ一門衆から指図を受けた、よくよくの時は罷免も已むなしとまで言われておる」兵部の答えに一同は注目した。

「お奉行はもう江戸に発たれたのでしょうか」玄蕃が聞いた。

「うむ、そのようだ」外記は頷いた。

本藩の仕置を大事にする奥山大学の政務は確かに真っ直ぐなものがあり、それは兵部・右京の両後見人に突きつけた六か条の糾弾が如実に物語っていた。しかし、政務については厳しい大学であったが、半面、行き過ぎた奢侈（しゃし）や御禁令を破った行いは、家中から非難の声が上がるほどであった。

この年の翌年、寛文三年に大学を弾劾した里見十左衛門の文書によれば、

『これまでの奉行衆は誰もが一切賄賂を受け取らなかったが、大学は金銀はおろかなんでも受け取る。御霊屋に使うことさえ憚る、宮城郡愛子山の松の官木を五百本も伐って自宅の建築に使った。元来仙臺城中にあるべき鷹屋を自分の屋敷内に建て、御鷹師衆を詰めさせている。また正月三日の御野始においては藩主御名代同様の振る舞いをした。御禁制を破って饗応に贄を尽くし、毎度乱酒乱舞した。なんの忠功もない者を他の奉行らに相談も無く勝手に登用した。従来家臣や商人たちが江戸に米や大豆を自由に売っていたのに、大学が一切の他領出しを禁じ、藩が独占的に取引をするようにしたために、家臣・町人・百姓が困窮している』

藩の買米政策を強化し、財政の立て直しをはかろうとした大学の政策は周囲からの反発を招いた。更に、大学の弟遠山勘解由重長や永江主計ら三十人余りを贔屓して取り立て、弟らはすぐに異例の出世をした等々。

小姓頭里見十左衛門は、奥山大学の不正を論い非難したが、中でも藩主の命令を覆したことについては殊のほか厳しかった。

即ち、二代忠宗の世に死んだ今村三太夫の跡式について、忠宗の命令をのちに書き換えて違った処置をしたこと、また笹町但馬の在所のことについて、三代綱宗の命令を押さえたことなどを挙げた。

　寛文二年六月、江戸に上った大学は、田村右京を訪ねて六ヶ条のことを伝えた。右京は強いて反論もしなかったので、大学は立花飛騨守を介して老中酒井雅楽頭に六ヶ条問題を相談した。

その後十一月十二日に雅楽頭は自邸に大学を呼んだ。

「書状のこと相分かった、其許の申し分は尤もである、仙台の仕置についてはすべて陸奥守殿の専ら(もっぱ)とするところ、その旨御上に申し上げて御裁断を仰ぐ事としよう」

先ほどから頭を下げて雅楽頭の言葉を待っていた大学は、自らの主張が存外容易く受け入れられたことに驚き、強張った肩の力が抜けるのを感じた。

「ご理解を賜り恐悦至極にござりまする、御言葉は後見役ご両人にお伝えし、国許にも・・」

大学の言葉を途中で遮った雅楽頭が言った。

「否、それには及ばん、御上からの正式なお達しを待たねばならぬ、このこと其許の胸の内に留めておき、お達しがあるまでは一切口外は無用とせよ」

安堵のあまり余計なことを言ってしまった大学は、威圧を感じるような雅楽頭の言葉に思わず首を竦め、早々に部屋を退出した。

「あの奥山とか申す者、田舎奉行と見縊(みくび)っていたが中々の者と見える」

大学と右京が邸を退出して、着替えを済ませた雅楽頭は、茶を飲みながら側近に話しかけた。

「はあ、直参を向こうに回して訴え出るとは肝の据わった御方ではありましょうが、ただ・・」

「ただ、何だ」

「国訛りがあって、時々何を言っているのか分からぬことがございます」

「ほっ、お前もか、儂も同じだ、仙臺に限らず遠国の者たちと話すのは骨が折れる」

二人は顔を見合わせて笑った。

「それにしても、このところの仙臺はなにかと騒がしくて厄介だな」

「はあ、前藩主の逼塞や隠居に続き、今度は奉行が後見人を訴えるとは」

「うむ、これで済めば良いのだが」雅楽頭は腕を組んだ。

「此度の件は儂にもいささかの落度があったかも知れん」雅楽頭が呟くように言った。

「それは、どのような・・・」

「まあ良いわ」雅楽頭は側近の問には答えなかった。

実はこの問題の根本には、かつて雅楽頭が下した安易な判断と遠慮があった。

両後見人には雅楽頭から将軍直参大名としての地位を保証されていた。

その上で、仙臺藩の家臣から将軍直参大名に取り立てられた両後見人が、自分仕置、すなわち独立大名としての領内統治を考えるのは当然のことであった。

ただし両後見人の立場は伊達家からの内分大名であったので、相談役の飛騨守や雅楽頭などにどこまで自分仕置が可能かを尋ね、了承を得た上で自分仕置を実行していたのだった。

大学はその仕置を糾弾したのであった。

それに加え雅楽頭には兵部に対する私的な遠慮があった。

雅楽頭の養女と兵部の息子東市正（いちのかみ）との正式な婚約を間近に控え、既に娘は兵部の邸に移っていた。

雅楽頭としては姻戚関係に入ろうとしていた兵部の問題を内輪に済ませたい気持ちが強かった。

翌寛文三年四月、六ヶ条の件はすべて藩主亀千代に従うことに決定し、兵部と右京はこの決定に従うとの覚書を雅楽頭と立花飛騨守に提出し、四月には大学ら四人の奉行にも同様の誓詞を提出した。兵部と右京の領主権は、伊達六十二万石から分けられたものに過ぎず、完全な独自性を留保した正規の大名領主権とは認められなかったのであった。

奥山大学の全面勝利であったが、面目をつぶされた両後見人と奉行衆との間に、大きなしこりを残すこととなった。

――大学め、御老中まで煩わせるとは許せぬ、今に見ておれ。

武士とは何よりも体面を重んじるものである、まして藩主後見役を任じる兵部の怒りは、その後の大学の運命を決定付ける結果に繋がった。

（三）田舎侍

寛文三年十月また江戸に上っていた原田甲斐は、江戸が気に入っていた。江戸に滞在中はよく市中をめぐり、大都会の雰囲気を満喫していた。今日も塩沢丹三郎を連れて市中めぐりを楽しんでいた。

甲斐は、十六歳になって元服を済ませた丹三郎を、小姓として江戸に呼んでいた。明暦の大火から六年、江戸の町は新しい都市計画のもとに大きく変貌しつつあった。寺社地、武家地は外堀以遠への疎開がなされ、万治二年の両国橋架橋の後、隅田川の東にも武家地が開かれるようになった。

浅草新堀が開かれたり諸所に築地がつくられ、延焼防止のために火除地や広小路が設けられた。

大火は江戸の人口約二十八万人の内、九万人余りの死者を出す大災害であったが、復興に向けて全国から多くの人や物資の流入があり、人口は急速に戻りつつあった。

江戸に流入する人々の多くは復興事業の職に有り付こうとする男たちで、百姓の次男や三男が多かった。そのため江戸では、男の数が女よりも圧倒的に多いという歪(いびつ)な形で人口の急増が推移した。

「見ろ丹三、仙臺堀だ、見事に出来たものだなあ」

神田川に通じた流れには、荷を積んだ小舟が数隻往来していた。

「まことに、我ら仙臺の者にとって自慢でございます」

「しかし、喜んでばかりはいられぬ、この普請で藩の金蔵はまた空になったどころか、借財が増すばかりだ、出入司や勘定方は頭を抱えている」甲斐の笑顔が消えた。

藩祖政宗の治世以来、仙台藩の財政事情は深刻であった。

参勤が制度化された上に、幕府から課される役料は藩の財政を益々圧迫した。

この状況は仙臺に限らず、全国諸藩にとっても共通の悩み事でもあった。

「どれ、行くか」時服を着流した甲斐は、また歩き始めた。

「城は何とか再建されたが、天守は作らぬと聞く」

明暦の大火から三年あまりの万治二年、江戸城の本丸は再建されたが、天守は再建されなかった。

「公方様は天守を御作りにはならないのでしょうか」

歩みを止めた丹三郎が聞いた。

「幕府の金蔵は空っぽだそうだ、御時世ということであろう」

返事もそこそこに甲斐はまた歩き始めた。

「腹がへったな、どこぞで喰うか」

下町の風情を醸す道筋には様々な店が軒を連ね、大勢の人々が行き交っていた。

その人々の多くが職人風の男たちであった。

田舎者の二人には、その喧噪が珍しく、何故か心ときめくものがあった。

「ほう〜立派な橋でございます」

「うん、これが両国橋だ」

二人は、いつしか隅田川に新たに架けられた両国橋の袂に来ていた。

両国橋の袂は、大惨事の教訓から広小路になり、そこには多くの商店や芝居小屋まで建つ新しい繁華街ともなっていた。

「両国とは何か分かるか」

「さて、何でしょう」

「西の武蔵と東の下総、二つの国を結ぶ架け橋ということだ」

甲斐の説明に丹三郎は、なるほどというように頷いた。

「殿、何やら人だかりがしていますが」

丹三郎が指差す先には、立ったまま何かを喰っている人々がいた。

「あれはな、担い屋台と言って、屋台を担いで来て、色々な食い物を売っている、ひとつ喰って見るか」

江戸の今風に慣れた甲斐は、答えながら屋台に向った。

「てんぷらだ」熱い油の匂いが漂っている屋台には、立ち食いの人たちが群れていた。

しばらく屋台の男の手さばきを見ていた丹三郎は、甲斐に向かって感じ入ったように言った。

「これがてんぷらというものですか、国許では見たこともございません」

「であろう、儂も江戸に来てはじめてお目にかかったものよ」甲斐は目を細めた。

「お武家様、何に致しやしょうか」手拭を被った女が、注文を聞いた。

「そうだな海老を貰おうか」

揚がったばかりのてんぷらが、長い白木の板に載せられた。

「おっと待て、熱いぞ」指で摘もうとした丹三郎を甲斐が止めた。

「これをお使いなさいまし」女が竹串の入った箸立てを丹三郎の前に置いた。

てんぷらに少し塩をふって、竹串で刺して喰うのだそうだ。

新鮮な海老の揚げたては、この上もなく美味であった。

てんぷらを喰った甲斐は、また屋台を案内すると言って歩き出した。

「今度は蕎麦だ」甲斐はてんぷら屋の竹串を口に銜えながらゆっくりと歩いた。

「国許の蕎麦掻きとは随分と違います」出て来た丼の中を覗いた丹三郎は驚いた。

「うむ、細長く切ってあるから喰い易い」甲斐は蕎麦を啜りながら言った。

「ほう、これは美味い、何よりこのつゆの味が格別にございます」丹三郎の目が輝いた。

「小田原や上総の鰹節を出汁にして、上方から来た醤油というものを使うとか」

甲斐の蘊蓄がまた始まった。

「立ち食いは、ちょっと疲れたな、座って酒でもやるか」

珍しい食べ物や情景に夢中になっていた丹三郎は、歩き通し、立ち通しだったことに気がついた。

しばらく歩いた甲斐は迷うことなく、一軒の飯屋の暖簾をくぐった。

「らっしゃい」格子で隔てた奥の台所から威勢の良い声が掛かった。

一歩踏み入れた店の中は、うす青い煙と独特の匂いが充満していた。

飯を喰っていた町人やら侍の風体やらが、入ってきた二人をじろりと見た。

「殿様、いつもの奥の間にどうぞ」賄い女が二人を奥の間に案内した。

女とのやり取りから、甲斐がこの店の馴染のように丹三郎には感じられた。

奥の間といっても然したる部屋でもなく、板の間を衝立で仕切っただけのものであった。

「いつものあれを二人前、それと酒を二、三本」甲斐は円坐に胡坐を掻いた。

「殿、ここには良く来られるのですか」

甲斐と賄いとの短いやりとりを見ていた丹三郎が不審そうに訊ねた。

「うむ、ここの料理は美味いぞ、仙臺ではお目にかかれないものだ」

丹三郎の問いに短く答えた甲斐は、煙管に煙草を詰め火をつけた。

「丹三、江戸はどうだ」煙草の煙を吐いた甲斐が聞いた。

「まことに、大きくて賑やかなところでございます、見るもの聞くもの皆珍しいものばかり」

答える丹三郎の目は輝いているように見えた。

「そうであろう、仙臺の田舎とは活気が違う、儂は江戸が気に入った」甲斐はもう一服吸った。

甲斐が江戸滞在を長引かせるのには訳があった。

「おっ、来た、来た」

一寸の会話の間に、注文した酒と刺身が運ばれて来た。

「いつもご贔屓にありがとうございます、今日は珍しくお連れ様とご一緒で」

板の間に上がって酌をした女の口調は、歯切れの良い江戸言葉だった。

「儂の息子だ」ぐい呑みに酒を受けながら、甲斐は珍しく冗談で答えた。

甲斐の冗談に丹三郎は慌てて手を振って否定した。

「まあ、殿様にしては珍しい、ご冗談でございますか」

余計な詮索をしない女は、如才の無い愛想笑いを残して、忙しそうに立っていった。

「細腕で店を繁盛させているとは、さすがに江戸の女将だな、仙臺の商人とはわけが違う」

手酌の酒を飲み干し、甲斐は女の立ち振る舞いを眩しそうに目で追った。

「あの女は賄いではないのですか」刺身とか言うものに目をやりながら丹三郎が聞いた。

「六年前の火事で亭主を亡くしたが、店を建て直して繁盛させているれっきとした女将だ、その気になれば女は男より強いものだ」甲斐は喋りながら酒を飲んだ。

「海に近い江戸では新鮮な魚が食える、それに醤油が合う、ほれ、飲め」

甲斐が徳利を突き出したが、あいにく丹三郎は下戸であった。

それでも一杯だけお相伴をした丹三郎は、甲斐に酒を注いだ。甲斐は藩の重役の中でも一、二と云われるほどの酒豪であった。

「どうだ、美味いだろう」甲斐は、盛んに刺身を食べている丹三郎の顔を覗いた。

「江戸には方々から多彩な食材と腕の良い料理人が集まって来る、美味いのは当たり前だ、ど田舎の仙臺など比べようもないわ。さっき喰った屋台は、仕事が忙しい者たちがすぐにでも喰えるように工夫したものだ」

丹三郎は甲斐の言葉に少し訝しさを感じた。

——この頃の殿は何故に国許を悪く言うのだろう、今日も二度聞いた。

「だがな丹三、お前が今喰っている飯は、仙臺の米だぞ」

「あー、そうですか」丹三郎は口に運ぼうとした箸を止めて、茶碗に載った飯を眺めた。

「江戸市中に出回る米の多くは仙臺の米だ、藩の収入源は、唯一米だけと言っても言い過ぎではなかろう」普段いたって寡黙な甲斐にしては珍しく饒舌であった。

「仙臺は昔から米に依存してきた、買米の仕組みが出来た上に新田の開発が盛んな今、その傾向は益々強くなっている」

甲斐は女将に向かって酒の追加を頼んだ。

「米の作柄は天気次第だし、米価は相場に左右され不安定なものだ、そもそも仙臺は他藩に比べ家臣の数が多すぎると聞く。大所帯を喰わせていくには米の増産が不可欠となるが、収穫量を追い求めていくばかりに品質が落ち、近頃は下下が多いとか」

丹三郎は、良く喋る甲斐を珍しいものでも見るように頷いた。

「だが、酒は仙臺の方が美味いな、江戸の酒は薄くて不味い、いくら飲んでも酔わないわ、きっと水で割っている店が多いのだろう、商魂逞しいとは聞いていたが」

「この味噌も仙臺のものだぞ」

「どうりで、国の味が致します」味噌汁を啜った丹三郎が頷いた。

「江戸屋敷に送られてきた味噌が、いつのまにか江戸市中に出回るようになって人気が出た、きっと江戸っ子の口に合っているのだろうな」

甲斐は美味そうに飯を喰っている丹三郎を見て、国許の息子たちを思っていた。

甲斐には四人の息子と娘が一人いた。

嫡男帯刀宗誠、次男仲次郎輔俊、三男喜平次、四男五郎兵衛、それに娘の柳（りゅう）。

――時の流れは速いというが儂も既に四十四歳か、父が亡くなった歳を二年過ぎて何時死んでもおかしくない歳とはなってしまった、宿老の家に生まれながら奉行に成れずに死ぬのは、原田家末代までの恥辱というもの。

日頃出世欲などおくびにも見せない甲斐ではあったが、内心はそうではなかった。宿老上席として奉行の職と地位を約束されているにも拘らず、四十歳を疾うに過ぎても一向に奉行昇任の声が掛からない。

(四) 奉行入札

寛文二年の仙臺藩は、奥山大学が両後見役に突きつけた六ヶ条問題で揺れた。寛文三年二月、折をみはからっていた里見十左衛門の奥山大学に対する弾劾文が伊達兵部にも提出された。三月には、おりから下向した幕府国目付に対し、伊達一門および家臣らの訴えが出され、訴えは直ちに国目付から江戸の老中に報告されることとなった。兵部、右京の両者に対し、内分大名としての格式と権限の制限を認めさせた大学ではあったが、ここに至って一転窮地に立たされた。

「十左衛門なる者、分も弁えず何かとうるさい奴だ」

未だ寒さが残る大学の屋敷、綿入れを着て火鉢を抱えた大学は朝から不機嫌であった。

「殿、登城の刻限にございますが」夫人と共に家老が迎えに来た。

「今日は参らぬ、風邪を拗らせたとでも言っておけ」不機嫌な主人を見て、二人は早々に退出した。

六ヶ条問題の決着後、大学はついに病気を理由に辞職せざるを得なくなった。

兵部と右京が老中の内意を得て、大学を罷免したのはこの年七月二十六日だった。

一門以下の重臣たちは、大学の免職だけではおさまらず、処罰することを望んだが、ことを穏便に収めようとする兵部らの意見を呑んで事は落着した。

その大学処罰の急先鋒にたったのが、一門伊達安芸宗重であった。

　その喧騒をよそに、評定役原田甲斐にとって寛文三年はめでたい年となった。

二月二十一日、甲斐の娘と北郷正太夫隆次（きたごうしょうだゆうたかつぐ）の婚姻が老中阿部忠秋より仰せ渡され、五月には甲斐が念願の奉行昇格が決まった。

仙臺藩では六人制が建前であった奉行の人数が、この頃は奥山大学、柴田外記、富塚内蔵丞、大条監物の四奉行となっていたので、二名を補充する必要に迫られていた。

前年の寛文二年七月には、伊達兵部は田村右京にあてた書状で、奉行の不足を補うため親類中で入札（いれふだ）して決めたいと言ってきた。

奉行の不足はすでに一年前から問題になっていたのだった。

それを受けて兵部、右京の両後見役に加え伊達家の親族の間で入札が行われた。

兵部は病気がちの富塚を免じ、宿老・江戸番頭で小石川堀普請奉行をつとめた後藤孫兵衛近康（ごとうまごべえちかやす）、および着坐・大番頭兼評定役の伊東新左衛門重義（いとうしんざえもんしげよし）を推した。

これに対し、右京は後藤孫兵衛と評定役の原田甲斐宗輔を推挙した。

大学の弟で、評定役についたばかりの遠山勘解由を推す者もいた。

「田村は一体何を考えているのだ、よりによって原田を推すとは。遠山は使えぬ、評定役についたばかりではないか、親類衆もどうかしている」兵部は不機嫌であった。

六ヶ条の件で奥山大学に面目をつぶされた兵部は、遠山勘解由を奉行にするわけにはいかなかったし、右京が推した原田甲斐についても反対であった。

兵部は寛文二年七月に、田村右京宛の書状で次のように述べていた。
※『甲斐については、先年江戸詰のころのつとめの様子を万事承知のとおりである。御用のつとめの能力にかまいなく、単に家筋だけで甲斐を奉行に任命するのなら話は別である。もしその場合は、御用をたすには心もとないから、甲斐の詰番の時には、しっかりした評定衆をそえるべきだと思う。貴殿が甲斐を推薦なさるのは、奥山大学の一類ばかりが奉行となり、茂庭一類は病身の富塚内蔵丞だけであるためかと推察している』
兵部は甲斐を凡庸なる者として甲斐の能力を低く見ていたし、むしろ忌諱していた。

万治二年に甲斐が拝命した感仙殿の造営と塩竈神社の修造が、五年経った今でも完成を見ないことも、甲斐の評価を下げた一因ともなった。

藩きっての才知と目されていた兵部は、甲斐の優柔不断を容認しなかった。

「また兵部が言ってきたわ、今度は儂が推した原田甲斐に反対らしい」

兵部からの書状を一瞥した右京は、その書状を側に座っていた家老北郷隼人の膝元に放った。

隼人は許しを得て書状を取り上げて読んだ。

「兵部様のお考えはどうなのでしょうか」

「奉行衆の中に大学の一派が蔓延るのを恐れておるのだろう、そうかと言って甲斐が奉行になることで茂庭が息を吹き返すことにも警戒しているのかも知れぬ」

右京があえて甲斐を推薦したのは、茂庭周防と親類関係にある富塚内蔵丞が退任し、奥山大学の弟である遠山勘解由が奉行になれば奥山派が力を増すことを恐れていたからだった。

藩政の最高執行者たる奉行の権限は大きい。

時には藩主の意向を抑えて再考を願い出ることもあった。

まして幼少の藩主を補佐する後見政治が行われている今の仙臺藩においては尚更のことであった。

兵部・右京の両後見役を独立した大名とは見なさなかった大学の糾弾を見てもそれは明らかであった。奉行人事は、いかにして大学との均衡を図るかに焦点があった。

ところが五月になり、あれほど揉めたはずの奉行選出が呆気無く決まった。

前年の入札で名前があがった者の中から、甲斐と新左衛門の二名が新たな奉行に決定したのだった。

茂庭と奥山両派の対立にいかに処するかを熟慮した兵部が、反大学という点で茂庭勢力と妥協した結果のように見えたが、兵部が難色を示していた甲斐を受け入れた経緯には曰くがあった。

人の口には戸を立てられないと言うが、甲斐が自分の奉行就任に反対している兵部と数回接触していたという噂が流れたし、中には甲斐が兵部に賄賂を渡したとさえ言う者もいた。

原田甲斐宗輔は宿老、在所は柴田郡船岡、知行四一八三石で四十五歳。伊東新左衛門重義は着坐、在所は桃生郡小野、知行二六七〇石。

昨年の寛文二年以来懸案となっていた、奉行の補充問題は一応の決着を見て、六人制の体裁だけは何とか保つことができた。

奉行就任の判物（はんもつ）を受けた甲斐は船岡に向かい、先ず東陽寺を訪れて父の甲斐宗資（むねすけ）や先祖の墓に香を手向けて出世を報告した。

その後屋敷に入った甲斐は、母の慶月院と共に持佛堂に入り先祖の位牌を拝んだ。

「宗輔殿、やっと願いが叶えられましたな」

慶月院は日頃滅多に見せない笑顔で、甲斐を見詰めて言った。

「母上のお蔭をもちまして、願いが成就されました」甲斐は深く頭を下げた。

――これで出世だの奉行だのと責められずに済む、顔を合わせればうるさくて敵わなかった、律も母上の愚痴には閉口していたようだ。

香の煙が立ち昇る持佛堂には格子窓から夏の光が斜めに差し込んでいた。

持佛堂から広間に通った二人を、帯刀ら四人の息子たちと共に、家老堀内惣左衛門、片倉隼人以下の重臣たちが待っていた。

「ご奉行にご出世のこと、真におめでとうございます」一同は揃って祝意を表した。

「皆の力添えがあってのこと、礼を申す」甲斐は頭を下げ、一同の祝意に応えた。

この日は原田家中総出の祝宴が開かれた。

「これで私も安心して死ねるというものです。あの世とやらに行ったら原田の家は永く栄えることと殿様に申し上げましょう」

宴も終わり、夜の静けさを取り戻した部屋に、甲斐とその母が向かい合っていた。

「ご心配をお掛けいたしました、母上にはまだまだ長生きして頂かねば」

「それにしても、ここまで長い月日でした」母は細く長く吐息した。

宿老の上席という家格から見れば、四十五歳の奉行昇格は決して早くはなかったし、むしろ他の奉行に比べても遅い昇格であった。

出世欲のないように見えた甲斐は、本来目立たぬ存在であった。

原田家の安泰と嫡男弁之助の出世を願いつつ、女手ひとつで育ててきた母にとっては長い年月であった。夫の宗資が四十二歳の若さで他界してから、残された嫡男弁之助を宿老家の筆頭原田家の家督として育て上げなければならなかった。

一人息子の弁之助を失ってはならず、万が一にも失えば原田家は断絶であった。

原田家は奉行を務めた茂庭、津田両家との姻戚関係、さらに香ノ前の子亘理宗根を介する伊達安芸宗重との関係によって、強い後ろ楯を得ていたのだった。

夜遅く床に就いた甲斐はなかなか眠れなかった。

――兵部様が儂の奉行昇任に反対したという、油断はならぬ。右京様の推薦があったらしいが、亀千代君の後見役は兵部様と飛騨守様の手に握られている上に右京様と兵部様の仲が良くないようだ。儂は右京様と兵部様の間に挟まれる恰好になる。それに大学の存在がある、奉行として果たして何ができるだろうか、これからが思い遣られる。

蛇行する広瀬川を下に見る新坂の伊達兵部の屋敷から、小雨に煙る城が見えた。城を囲む木々の緑は、一段と鮮やかに初夏の景色を彩った。

その景色が見えてか、文机に向かっていた兵部は想いに耽っていた。

――あと十年もすれば亀千代君も元服する、そうなれば儂の後見役としての任務は終わる。儂の大名としての身分はどうなる、知行三万石は返上するのか。

「申し上げます、渡辺様がお見えになりました」襖の陰に人の気配がした。

やがて、一人の侍が兵部から二畳ほど離れて畏まり、慇懃な挨拶をした。

さほどは広くない質素な佇まいの部屋である。

「金兵衛、何用か」筆を置いた兵部が振り向いて座り直した。

「金山の件で・・・」

「待てっ」金兵衛の言葉を遮った兵部は、金兵衛を見詰めてあごを杓った。

金兵衛は立ち上がり、部屋の外に人が居ないことを確かめた。

「うむ、申せ」

「金山本判役は、無事に戻りました」金兵衛は微かに笑みを浮かべた。

「おう、良くやった、これで一安心だ」頷いた兵部の目に光が走った。

「この件は構えて他言は無用だぞ、書き物も残してはならぬぞ、良いな」

兵部の声は威厳を取り戻した。

金兵衛は一通り報告し終えると屋敷を後にした。

二日後、兵部の屋敷で盛大な酒宴が開かれた。

金山本判役とは、鉱山の採掘者、金堀りに対する課役金である。

政宗が豊臣秀吉から許されて以来、仙臺藩はその役金を幕府に上納せずに自由にできる特権をあたえられていた。

ところが、兵部の一関領内にある金山の役金が、本来亀千代に帰属するにも拘らず、大名になってからはその役金を自らに帰属すると主張した。

しかし奉行奥山大学は、これを保留して兵部に帰属させることを許さなかった。

その点では大学の方針は正しかった。大学の失脚後、兵部は金兵衛を使って金山本判役を自分が収納できるように画策し、金兵衛の尽力によって、それは実現した。

(五) 後見人と里見十左衛門

懸案だった奉行六人制が整って、一時落ち着いたかに見えたのも束の間、筆頭奉行奥山大学が罷免となり、寛文三年九月には奉行に就任したばかりの伊東新左衛門が三十三歳の若さで病死した。

新左衛門は奉行就任にあたり『忠言を呈する者があれば、たとえ軽輩の言であっても用いること。親疎によって賞罰に軽重をつけず、へつらい人を大敵と思うこと。両後見役の間に疑心がないようにすること』の三ヶ条の誓詞を両後見役に求めていた。

茂庭周防を排して奥山大学を重用し、両後見役が疎遠であることが、藩政の混乱を招いたという認識にたった三ヶ条であった。

そして十月、茂庭周防定元が奉行に返り咲いた。

寛文元年四月以来二年ぶりの復職であったが、周防再任には奇妙な経緯があった。

長く疎遠であった伊達兵部と田村右京が珍らしく二の丸で顔を合わせた。

「貴殿は茂庭を奉行に復職させるというが、一度辞めた者をまた召し出すのは世上の評判にもかかわることではござらぬか」兵部に向かい合った右京が問いかけた。

「奥山が辞めた上に伊東が死ぬとは思いもかけなかった、他にこれといった者も居らぬゆえ致し方のないことでござろう、なにしろあの原田さえも取り立てたのだから」

右京には兵部の考えを推し量ることができなかった。

――こいつは何を考えているのだ。以前茂庭を悪人呼ばわりして更迭したのに、今となってまた奉行に復職させるとは、何か魂胆があるな。

「それでも、まだ一人足りないのでござるぞ」兵部は持った扇子で肩を叩きながら笑った。

皮肉ともとれる笑い声に、右京は不快感をおぼえた。

——兵部は奥山との関係が悪くなると、途端に茂庭と親しくなった。

結局この後、茂庭周防の奉行再任となった。

だが、周防は兵部に厳しく監視されていた。

兵部との話を終えた右京が、城中の廊下で一人の侍とすれ違った。

右京に気付いて立ち止り、伏目がちに会釈をしたその侍の後姿が、さっきまで右京が居た部屋に入るのが見えた。

「あれは誰だ」右京が供の者に聞いた。

「確か、お目付の渡辺様ではないかと」廊下を歩きながら供が答えた。

——はて、目付が兵部に何の用だ。

この時点で奉行は茂庭周防・柴田外記・富塚内蔵丞・大条監物・原田甲斐の五人となったが、六人制の建前は整わないままであった。

寛文四年六月、兵部は周防に宛てた書状の中で次のように言っていた。

『奥山の弟たちと談合しているようだが、藩のため茂庭のためにも止めたほうが良い。柴田外記も悪人一味であり、古内治太夫義如(ふるうちじだゆうよしゆき)も油断ならぬ者であるから気をつけるように』

藩の重役たちを悪人呼ばわりして分断させていく兵部の遣り口は、藩内の対立を煽るとともに、奉行衆相互に不信感を抱かせた。

前年には両後見人から奉行衆に対して、藩政全般に関しての注意事項を列挙した条目が発せられていた。兵部主導による奉行や家臣に対する監視体制の強化が図られつつあった。

寛文四年六月四日、六歳になった亀千代が徳川四代将軍家綱に謁見し、六十二万石の領地判物を賜った。同年閏五月、立花飛騨守忠茂が隠居し、その子左近将監鑑虎が家督を相続した。実質的な後見役と見なされていた飛騨守の隠居により仙臺の政治は兵部の独裁的な側面を強めていった。そして七月二十八日には、十六歳となった兵部の嫡子東市正宗興（いちのかみむねおき）が、老中酒井雅楽頭忠清（さかいうたのかみただきよ）の養女と婚約し、兵部は時の権力者酒井雅楽頭という強力な後ろ盾を得たことになった。

そうした中、少しは落ち着きをみせていた仙臺藩にまた揉め事が起きた。

寛文五年、伊達安芸宗重（だてあきむねしげ）の領内で遠田郡（とおだぐん）の東境にあたる小里村（おさとむら）と、伊達式部宗倫（だてしきぶむねとも）の領する登米郡（とめぐん）赤生津村（あこうづむら）との間にある谷地をめぐって紛争がおきた。この谷地は赤生津村に属すると主張する式部に対して安芸は、この谷地が小里村に属するとの確かな証文があるとしつつも、藩主亀千代様幼少のおりでもあるので遠慮をして、式部に譲ることで一応の落着をみた。

膨大な家臣団を抱えた藩祖政宗は、北上川の大規模な工事などを推し進めた。これによって排水と灌漑の便がはかられ、それまで耕作が不可能な低湿地だった野谷地が新田開発の対象として重要視されるようになった。

政宗は、家臣団に対して既に知行として与えた田に加えて新たに野谷地を与え、その開発後に石高に結んで知行とさせ課役の対象とした。

この方式は二代忠宗以後にも受け継がれ、仙臺領の新田開発を促進した。

新田開発の勢いは三代綱宗から四代亀千代（綱村）に亘る、正にこの時期に頂点に達していた。

この年の紛争はなんとか治まったが、二年後におきた紛争は、藩内の裁量では解決できず遂に安芸の幕府への提訴となり、仙臺藩の存続が危ぶまれるほどの騒動の引き金ともなった。

　寛文六年一月十五日、磐井郡一関（いわいぐんいちのせき）の伊達兵部の在所に一通の手紙が届いた。

「殿、このようなものが来ておりますが」

家来から取り次いだ家老が、兵部に手紙を差し出した。

読み終わった兵部は、部屋の天井を見上げて、ふ～と吐息をついた。

「どなたからの手紙でございますか」

「里見十左衛門からだ」家老の問いに、兵部はぶっきらぼうに答えた。

「里見殿は去年職を辞したと聞きますが、その方が何といって参りましたのですか」

小姓頭を勤めていた里見十左衛門重勝はこの年五十八歳、眼病のため前年に辞職引退していた。

「あいつは眼病のため辞めたはず、目が見えぬ者がこれほどの手紙が書けるものかな」

兵部が手にした手紙は分厚いものであった。

「大学を責めたと思ったら、今度は儂と右京に喰い付いてきおった、何かとうるさい老いぼれめ」

寛文三年奥山大学の弾劾のきっかけをつくった十左衛門は、その同じ年には総家中への臨時の課役にも反対の意見書を提出したことがあった。

十左衛門の手紙の内容は、兵部に対する批判文書であった。
一、家中に、学問は不要という風潮があるが、浅ましいことである。
一、亀千代様の御家来衆を、兵部様の御用を基準にして、えこひいきしている。
一、去年藩が予定していた京都商人からの借金を横取りして、亀千代様の領内から買米して商売をした。
一、目付衆を重用すること、度が過ぎている。
一、両後見の不仲は、亀千代様のためにならず、また幕府に提出した両後見の誓詞にも違反する。
一、両後見が藩の御重役を信頼していないのは、彼ら自身にとって不安である。
一、諸侍に対する役職選任の方法が偏っている。
一、かつて奥山大学なる悪人を、兵部様一人の一存で筆頭家老に取立てたために、御家を傾けることになった。それにもかかわらず今なお後悔の念がないということは、御家の滅亡につながる。
十左衛門は、兵部が本藩の人事と財政を恣意的に運用していると批判した。

同月十八日、兵部は十左衛門の覚書に対して返書を送った。

『学問については江戸浜屋敷で講釈が行われている。亀千代様が未だ御幼少につき、殿中において大袈裟に講釈を開くのは憚られる。買米については、奉行や出入司の了解の上で行ったことであり、其許の非難は当たらない。その他については合点がゆかぬことである。其許の申すことの内、二ヶ条ほどを除けば、田村右京殿にも関係する問題である。近々原田甲斐が江戸にのぼるから、甲斐に言って江戸の右京殿に申し上げてはどうか』

「うーむ、やはり思ったとおりの答えだ」

城を間近に見上げる広瀬川のほとり、花壇に里見十左衛門の屋敷があった。

兵部からの返書を読む弟の声を聞いていた十左衛門は腕を組んで吐息した。

「兄様、後見様に対して諫言を申し上げるのは、お止めになられては」

十左衛門の耳は、弟の声が不安の色を表しているように受け止めた。

兵部に突きつけた書状は、目の不自由な兄の口述を弟が代筆したものだった。

「懸念には及ばぬ、御家のため、亀千代様のためならば儂は命をかける覚悟だ、後見役を良いことに兵部殿の苛政はなんとしても止めねばならぬ」

「江戸の田村様にも訴えを届けろとありますが、いかがしますか」

「その前に、兵部殿に会って直接話をしてみたいと思っておるが、この体たらくではな」

「兵部様は仙臺のお屋敷には戻っておらぬようです」

冬の日暮は早い、十左衛門の女房が蝋燭に火をつけた。

十左衛門の目には、その光さえも映らなかった。

その後、十左衛門と兵部の間に何度かやりとりがあり、兵部は仙臺で十左衛門に会う約束をしたが、病気を理由に断ってきた。

その上で、重ねて甲斐に託して江戸の右京に申し送るよう言ってきた。

十左衛門はやむなく二月四日甲斐に文書を提出した。

「これは何の書状でござるかな」

弟に手を引かれて片平の原田邸を訪れた十左衛門に、甲斐が訝しそうに訊ねた。

「兵部様にお読み頂いた書状と同じ趣旨の覚書にござる、お手数ながら江戸の田村様にお渡し願いたい」十左衛門は甲斐の声がする方に向って頭を下げた。

「どのような書状でござるか」甲斐は重ねて訊ねた。

「恐れながら、中身のほどは、今は申し上げられませぬ」十左衛門はまた頭を下げた。

「貴公はすでに御役を終えた方、今更何を申し上げることが有るというのですかな」

甲斐の物言いはいかにも静かであったが、十左衛門には冷たく聞こえた。

「御家のため、亀千代様のためを思ってのことにござれば、何卒お取り次ぎの程お願い申し上げます」

その後少しの間、二人のやりとりが続いた。

「承知いたした、文は預かりましょう、これから所用があるのでこれにて」

甲斐は、十左衛門の差し出した書状を懐に仕舞って、足早に立ち去った。

その晩甲斐は、人目を避けるようにして兵部の屋敷に入った。

「急ぎのことで、参りました」甲斐は時服に綿入れを重ね着していた。

「寒い中、ご苦労ですな」兵部も同じような恰好をして火鉢にあたっていた。

「十左衛門は来たか」兵部は甲斐を覗き込むようにして訊ねた。

「これを持って参りました」甲斐は懐から十左衛門の書状を取り出して見せた。

右京宛の書状を勝手に読んだ兵部は、ふん、と鼻で笑った。

書状の内容は、兵部に宛てたものと差異はなかったが、人名をあげるなど、より具体的な表現になっていた。

その中で執拗に非難したのが、目付への過度な重用のことであった。

二代藩主忠宗の時代に、はじめて設けられた目付役は、前藩主綱宗の代までは奉行、出入司、小姓頭の密談には参加出来なかったが、兵部の指示で去年から加わるようになったと指摘した。

そして、兵部が最も重用している目付として名前が挙がったのが、渡辺金兵衛義俊であった。

甲斐が江戸に上ってから一月後の三月、遠田郡涌谷の伊達安芸宗重のもとに伊東七十郎重孝が訪れた。寛文三年に病死した元奉行伊東新左衛門重義の養子である伊東采女重門の命を受けての訪問であった。

采女重門は二代忠宗の死に殉じた古内主膳重広の実子である。

主膳重広は〝兵部の才智〟を憂慮しながら死んだ。

「里見十左衛門とは、確か小姓頭であったと記憶しておるが」

小書院の床の間を背にした安芸が七十郎に聞いた。

「はっ、昨年眼を患いまして、御役を辞してございます」七十郎は顔を上げて答えた。

「左様か、先年大学の専横を糾弾し、辞職に追い込んだ切っ掛けを作ったのも里見であったな」

安芸は湯気のたつ茶碗を両手で包み、手のひらを暖めた。

安芸に用向きを聞かれた七十郎は、兵部と十左衛門との一件を安芸に訴えた。

「儂も常々兵部殿の噂は耳にしておったが、それ程とはな」

「後見役に物言えるのは御一門様をおいて他にござりませぬ、何卒お力をお貸し下さるようにと、我が殿からのお願いにございまする」七十郎は深く頭を下げた。

「伊東殿の実父も養父も共に兵部殿を嫌っておった」

安芸は一口茶を飲んで続けた。

「奉行衆はどうしているのじゃ、何も言わぬのか」

「奉行から後見様へ上申する際にも、目付を同席させるようになり、奉行の動向はすべて監視され、目付の顔色を窺うような状態であるとか、加えて茂庭様が亡くなられてからは尚更に口を噤(つぐ)んでおられるとのことでございます」

一月に奉行茂庭周防定元が四十六歳で病死し、五月には評定役古内治太夫義如(ふるうちじだゆうよしゆき)が奉行に就任した。家格は着坐、江刺郡上口内三千三百石を知行した。

「奉行や評定役が目付を恐れてなんとする、それではまともな政が出来ぬではないか」

安芸の興奮した声が小書院に流れた。

「さればお力を賜りますよう、重ねてお願い申し上げます」七十郎は安芸を見詰めた。

安芸は、伊達一門のうちで、兵部に抑えの効くただひとりの人物だった。

すでに寛文三年には、財政難打開のために、総家中に課役をしたいと兵部・右京両後見から一門衆に下問があった際に、自らの知行二万二千六百石の貢租（こうそ）の今年分を、すべて献納するから課役はとりやめられたいと反対してこれを抑えた。

十左衛門の激しい非難に接した時には兵部の怒りは収まらず『亀千代様のためと言いながら、朋輩をねたみ、悪意を持って嘘や悪口を言うは、侍に似合わざる仕形だ』と言って、十左衛門を死罪にしようとしたが、寛容な扱いを要請した安芸の書状や田村右京の反対でやむ無く思い止まった。

（六）置毒

甲斐は嫌がる律を連れて船岡に向かった。

寛文三年に奉行となった原田甲斐の元に、他家から息子三人の婿入りや養子の要請が相次いだ。

四年には十五歳の次男仲次郎が飯坂家に、三男喜平次十四歳が平渡家に入った。

五年には、十四歳になった四男の五郎兵衛を剣持家の養子に迎えたいとの話がもち上がっていた。

「宗輔殿、五郎は他家にやってはなりませんぞ」

五郎兵衛の祖母茂庭氏慶月院が甲斐に向かって言った。

祖母は殊のほか末孫の五郎兵衛を可愛がっていた。

「母上、剣持家から達ての願いでありますれば、ご辛抱ください」

甲斐は静かに答えた。

「万が一にも帯刀に何かあれば、この家はどうなります」

「私も義母さまの仰るとおりと思っています」

末の子を離したくない妻の律もめずらしく姑に同調した。

「その時は、宗誠の子に継がせれば良いではないか」甲斐は、むっとした表情を見せた。

「未だ見もしない児を、当てにするとは」慶月院は少し呆れた様子で続けた。

「宗輔殿が奉行になった途端、方々から声が掛かって、皆原田に繋がりを持ち、出世・加増を望む者ばかりでありましょう。自分の子がその道具に使われて、情けないとは思いませんか」

慶月院の言葉には、伊達家譜代の重臣として続いてきた原田家の自尊心が強く感じられた。

――また始まった、事ある毎にこれだ、もう聞き飽きた。

甲斐は、母の生い立ちが原田の家格に役立ったことや、大身の親戚筋に関わる自慢話などを聞かされて育って来た。

僅か五歳で父親を亡くした弁之助に、宿老家筆頭の原田家を継がねばならぬという宿命が重く伸し掛かったのだった。

「しかし、これは後見役兵部様の御口添えでもありますので、断わる訳にも参りませぬ」

「兵部様とは、一関殿のことですか」慶月院が訊ねた。

「自分が奉行になってからは、何かと御世話になっております」

甲斐は母に答えてから、部屋の傍らに座っている男をちらりと見た。

その視線の先には原田家の家老、堀内惣左衛門清長が黙って座っていた。

　湯浴みを済ませ、酒を楽しんでいた甲斐のところに、惣左衛門がまた顔を見せた。

「丁度良いところに来た、酒に付き合え」甲斐は惣左衛門に杯を突き出した。

惣左衛門は初めのうちは遠慮していたが、主の誘いにのって何杯か受けた。

二人はしばらく巷の浮世話などしていたが、やがて杯を膳に置いた惣左衛門の口調が改まった。

「近頃、御家中の間では一関様の政務について異を唱える方々が、御目付役に睨まれているとか聞き及びますが、真でございますか」惣左衛門は甲斐を覗き込んだ。

「そのようなことは無かろう、兵部様にしろ右京様にしろ忠勤を励んでおられる、お二人とも毎日がお忙しいのだ」甲斐は事も無げに、杯を口に運んだ。

「御目付衆の内、渡辺金兵衛殿や今村善太夫殿の威勢が日増しに強くなって、上役の方々も一目置いておられるとの噂がありますが」

「その上役とやらに儂も入っているのか」甲斐が惣左衛門を睨んだ。

「あっ、これは御無礼を申しました、そのようなつもりでは・・平にお許しを」

惣左衛門は慌てて摩り下がって手をついて謝った。

「はゝ、戯れだ、そう畏まらなくても良い」

甲斐の笑い声が薄暮迫る部屋に流れた。

「惣左、何も心配はいらぬ、兵部様は藩の財政が逼迫していることを案じておられるのだ、財政難を克服しなければならないために、やり方が少々強引に見えるだけのことだ」

言い終わって甲斐は、また杯を口に運んだ。

「はあ、それならば良いのですが、知らぬこととは言え失礼致しました」

甲斐の父、宗資の代から原田家に仕えている惣左衛門は、甲斐を幼少の時から見守ってきたし、幼くして父親を失った甲斐は惣左衛門を父のように思いながら育った。

「とは言え、惣左の申すとおりかも知れぬな、近頃の兵部様は何かと急ぎ過ぎるようだ、そのため彼方此方に歪みが生じてきた」

めっぽう酒が強い甲斐は、未だ酔ってはいない。

「特に兵部様の取り立てては贔屓が強く、目付の増長振りは目に余るものがある」

「家中には、彼らを出頭人などと呼んでいるそうにございますが」

「そうよな、目付が儂ら奉行や出入司或いは小姓頭の寄り合いにまで同席するようになったし、時には直に異を唱えるようになった、それに奴らは話しの中身を兵部様に逐一報告をしておる」

奉行の動向はすべて監視され、目付の顔色を窺うような状態になっていると、甲斐は惣左衛門につい愚痴を洩らした。

そうした状況下、甲斐は兵部を恐れるあまり、奉行としての職責とは裏腹に、心ならずも兵部に傾倒して行く自分をも恐れていた。

「殿、くれぐれも隠忍自重のほどをお願い致します」

甲斐の愚痴を聞いた惣左衛門は、心配そうに言って頭を下げた。

「再来年は江戸勤番だ、身体を厭うておけ」

甲斐は古内志摩と共に、江戸藩邸に勤めることになっていた。

志摩は奉行として初めての上京であった。

「惣左殿は帰られました」惣左衛門を見送った女房の律が、部屋に戻ってきた。

「そうか、それほど飲んでおらぬから、夜道も心配要らぬだろう」

「後姿を見ると、少し腰が曲がったように見えますが」律は甲斐に酌をした。

「これまで何度か江戸に同道させたが、そろそろ潮時かの」

「今度の江戸行きもお連れになるのですか」

「うむ、その積もりだが」甲斐は律に酒を勧めた。

「長年の奉公に報いるためにも、扶持（ふち）を増やしておやりになっては如何ですか」

「そうだな、この間も息子の茂助に家督を譲って、そろそろ隠居してはどうかと尋ねたら、儂の行く末を見届けるまでは隠居などしておれぬと申して怒っておった、惣左にとっては、儂は未だ弁之助のままなのだ」甲斐は大声で笑った。

「大きな弁之助がお酒を飲んでおりますのか」律もつられて笑った。

「何か面白いことでもありましたか」

二人の笑い声に誘われたように嫡男帯刀が妻の辰（たつ）を伴って顔を見せた。

「宗誠も飲むが良い」久々に父子が酒を酌み交わした。

桜の季節を過ぎて、初夏の風が新緑の木立を吹き抜ける夕刻、船岡の原田邸からは、久しぶりに人々の笑い声がもれてきた。

近くを流れる白石川の瀬音に交じって、早くも河鹿の鳴く声が聞こえた。


寛文六年も暮れに近い十一月二十七日、江戸の浜屋敷で医師の河野道円父子と料理人が、兵部の命令で処断され、三沢頼母秀三（みさわたのもしゅうぞう）と奥女中鳥羽（とば）が仙臺の大条玄蕃にお預けとなる事件が起きた。

寛文元年に、これまでの外桜田の上屋敷が公収となり、替わりに麻布白金台に敷地を拝領していたが、屋敷は未完成で浜屋敷が上屋敷を兼ねていた。

道円は法橋（ほっきょう）であり、家格は着坐であった。

着坐の家柄の者が、評定役の調べも無いまま、親子諸共斬罪に処せられたこの事件は、江戸藩邸はおろか国許仙臺でも驚きをもって迎えられた。

料理人が共に斬罪になったことで、或いは亀千代殺害を狙った置毒事件ではないかとの憶測が家中に広がった。

「亀千代君の膳を試みた鬼役が、たちまち血を吐いて絶命したと聞くが、真かな」

「誰が毒を盛ったというのだ」

彼方此方で噂する者たちのひそひそ話しが広がった。

「一関様の処断が早かったこともあって、或いは・・おっと」

うっかり口を滑らしそうになって慌てて口を噤んだ。

「死人に口なしか」

憶測は更なる憶測を呼び、兵部が亀千代の跡に自分の子息東市正宗興を立てるため、亀千代の殺害を計画したものだとの風説まで飛び交った。

しかし、この時期亀千代には二人の弟がおり、これをさしおいて東市正を伊達家の当主にたてられる筈はなかった。

時をおかず、兵部の邸に右京が訪れ、二人の後見役が久々に顔を合わせた。

「直々のお越しとは、お珍しいことで」兵部は笑みを浮かべながら右京を迎えた。

「一関殿、これは如何なることでござるか」

右京はつとめて冷静さを装って兵部に対面しようとしたが、兵部の薄ら笑いを見て、つい口調が荒くなった。

「そう慌てずに、先ずはお座りくだされ」兵部は真顔になっていた。

「置毒があったと聞き及ぶが、事の仔細をお聞きしたい」

「いや、そんな事はござらん、ただの流言にござるよ」

「屋敷内で三人が処斬になるとは、只事ではないが」

「これには、ちと訳があるのでござるよ」兵部は声を潜めて語り始めた。

「道円親子が奥女中の鳥羽らを誘い、藩邸の若侍や町の女などと大川で舟遊びをして、大酒を飲んで大騒ぎをしたのでござる」

「それだけのことで三人が処断とは、合点のいかぬこと」

「うむ、まことこれだけで終わっておれば咎にも問えないところだが、その後の始末が悪かった」

「と、言うと」事の経緯を話し始めた兵部に右京は詰め寄った。

「陸に上がった連中が街中で騒ぎを起こした挙句、町人に怪我を負わせ町同心まで出る始末、これが奉行の耳に入り、厳重な抗議を受けたのでござる」

「評定役に詮議させずに即刻処断したのは何故にござるか」

「そこがこの不始末の厄介なところでござる、騒ぎを起こした者の中に三沢頼母と鳥羽が居った、さすがに二人を裁きの場に引き出すことは憚られた、その辺は貴公にもお分かり頂けるものと存ずるが」

兵部は右京の顔を覗いた。

三沢頼母は亀千代の生母三沢初子の弟で、鳥羽は亀千代の乳母である。

兵部は、この事件の真相を道円と鳥羽たちの不始末にあるとして正式な裁きを行えば、初子と亀千代母子に累を及ぼすことになり、それを避けたのだと主張した。

「うむ、それは致し方のないことでござろうな」

亀千代母子のため、藩のためと言われれば、二の句が継げない右京であった。

自邸に帰った右京は、家老鈴木太郎左衛門に事件の経緯や兵部の処断について説明しながら、判然としない胸の内を語った。

「兵部は、何故料理人まで処断しなければならなかったのか、だからこそ置毒の疑いがあるのではないか、不始末の処理にしては大げさ過ぎる」

翌月の十二月、仙臺の田村図書（たむらずしょ）や和田織部（わだおりべ）から、事件の真相がはっきりしないので、仙臺ではいろいろ取沙汰されているので、早急に報せるようにとの催促に対し、江戸の鈴木太郎左衛門から返書が届いた。

それによれば『少々事情があるので、はっきりとは申し上げられない。たぶん時が経てば、真相がそちらにも聞こえて来るであろう』と回答を避けていた。

　寛文六年の仙臺藩には、他にも幾つかの事件や罪科に問われることが起きた。

御城林の杉の木を勝手に処分した廉で、本丸の城代宮崎筑後とその嫡子孫兵衛が切腹、次男と三男が城下からの追放という事件があった。

また、十四、五年前の鉛の収支勘定が合わないとのことで、元勘定奉行の小梁川市左衛門（こやながわいちざえもん）と只木下野（ただきしもつけ）に死罪が科されようとしたが、結局は亀千代の成長の時まで逼塞ということに落ち着いた。

しかし、彼らはすでに六十四、五歳の老齢であるため、逼塞中に死ぬことは明らかであった。

兵部の裁断で罪科に問われた者の多くが、勘定方・金山方・金奉行・納戸方・金銀渡役・台所人など、財政経済の担当者であった。また、十一月には富塚内蔵丞重信が病によって奉行を辞職した。

寛文六年は里見十左衛門の諫争に明け、道円らの処罰で暮れた。

第三章　伊達兵部の独裁

（一）饗応の席次

寛文七年二月、奉行の大条監物宗快が病によって辞職し、仙台藩の奉行は原田甲斐宗輔、柴田外記朝意、名を治太夫から志摩へと改めた古内志摩義如の三人だけとなった。

四月二十二日、江戸から下向した仙臺目付、神尾若狭元珍・安部主膳信秀への饗応が、恒例どおり仙臺城二の丸で行われた。

饗応の席では、役職と家柄の順に国目付に謁見して盃を受けることになっていた。

席次は通常では奉行・評定役・着坐・大番頭・出入司・小姓頭・目付というのが慣例であった。

だが、この年の謁見では席次が変更されたことから、藩内を揺るがす大事件となった。

「御奉行、これは一体如何なる事でござるか」

着坐の家柄で七千石の大身古内源太郎重定と伊東采女重門が奉行柴田外記朝意に問い質した。本来なら三番目に出るべき二人が、目付の次に回され、しかもその場になってから原田甲斐の嫡子で未だ部屋住の身である帯刀宗誠よりも後にされたのだ。

二人はいずれも奉行格の家柄でありながら、席順を下位に変更されたのであったから、面目を失ったとして憤慨するのは当然であった。

「原田殿と相談して、役付の者を先にし、無役の者を後にしたまで」

二人の抗議を受けた外記は、苦しまぎれの言い訳をした。

納得しない源太郎と采女の二人は、原田甲斐にも詰め寄った。

「これは、渡辺金兵衛と今村善太夫のすすめに従って、決めたことでござる」

ひどく興奮した甲斐の答えは、吃音して要領を得なかった。

甲斐の答えを聞いた二人は、驚いた様子で互いに顔を見合わせた。

「何と、奉行たる御方が小姓頭や目付の為すがままを傍観していたのでござるか、この奉行の体たらくは一体どうしたことだ」

采女は語気を強めて甲斐を責め尚も詰め寄ろうとしたが、源太郎が紛議になることを恐れて采女を制止した。

「奉行たる者が何と情けないことだ」

二人は吐き棄てるように言ってその場を後にした。

小姓頭金兵衛や目付善太夫の仕掛けた席次の変更には、明らかに悪意があってのことだった。

前年の一月に、里見十左衛門が兵部宗勝を批判したことで兵部の怒りを買い、死罪に処されようとした時に、采女は十左衛門を弁護して兵部を批判し、八月には采女の嘆願を受けた一門伊達安芸が兵部を説き伏せ、十左衛門の死罪を思い止まらせた経緯があった。

兵部の寵臣として異例の出世をした金兵衛や善太夫そして甲斐らの挑発行為と見えた。

日を置かず、采女は親族の伊東七十郎重孝と氏家伝次素行らを使者として、外記と甲斐を詰問させた。

「卑しくも一国の奉行たるものが、下役の言うがままに振る舞うとは、何たること」

「奉行とは執政の最高権限者でござろう、分を弁えなされ」

七十郎と伝次に厳しく糺され、弁解に窮した外記は「原田殿の子息については粗忽であった、中次衆にも誤りがあった」と申し開きをした。

「御奉行の子息と言えども、部屋住の若輩を饗応の席に据えるなど先例になく、粗忽では済まされまい、息子も息子ならば親も親だ」

甲斐への詰問は激しさを増し、七十郎の分に応ぜざる言葉は、もはや悪口となって甲斐を責めた。

「伊東七十郎、其方無礼であろう、分を弁えよ」

七十郎の厳しい追及に対して、度々答えに窮した甲斐は、唇を震わせ逆上した。

「待て、七十郎」伝次が、激昂する七十郎を止め、つとめて冷静な口調で言った。

「お国の藩主が未だ幼君である今、国政を預かる奉行の貴殿が、先ずこの国をよく治めなければならないのに、序列を無視して自分の息子を優先させ、公私混同をなされた、これでは国は乱れてしまいます。国をよく治めようとする者は、先ず国の基本である家を和合させせなければなりません。ところが貴殿は重臣の古内家、伊東家をないがしろにして、和合どころか恥辱を与えてしまった。よく家を和合させようとする人は、先ず家の基である我が身をよく修めます。我が身を修めようとする人は、先ず自分の心を正します。そして心を正そうとする人は自分の思いを誠実にします。今回のような過ちを犯した責任は貴殿にあるのですから、自分の心を正し、誠実に二人に謝罪をするのが、奉行としての責任ではござらぬか」

よく学問をつんだ氏家伝次は『大学』を引き合いに出して、甲斐を諭した。

七十郎の激しい非難を浴びた甲斐は、伝次の穏やかな諭旨(ゆし)の言葉で表面では落ち着きを取り戻したが、内心は自分の不徳を恥じると共に、悔やむ気持ちが募った。

七十郎の性格は確かに直情径行であったが、内藤閑斎、山鹿素行、熊澤蕃山らに学び、四書五経を良く修めて、伝次に優るとも劣らぬ儒学の学士であった。

また、弓馬刀槍の武術にも優れていた。

古内、伊東両家の面目をつぶして紛議を起こしたこの騒動は、柴田外記、原田甲斐両奉行の判断に大きな過ちがあったことを露呈した。

しかし、この騒動はこれで終わることなく、やがて藩を揺るがす大事件となった。

夏も盛りの仙臺城二の丸六間御家に、江戸勤番が明けた古内志摩を交え、柴田外記・原田甲斐の三奉行が揃った。

会議は当然、伊東七十郎と氏家伝次の処分の検討であった。

「あの者ら只では済まされまい、処罪あって当然のこと」甲斐が口火を切った。

「確かに慣例を違えた責任は我ら二人にあるが、それを責める彼らの態度は我慢がならない、このままでは奉行の号令が行き届きがたい」

「衆目ある中で、奉行があのように悪様に言われては、家中に示しが付かない」

外記と甲斐の怒りを帯びた言葉に、饗応の場にいなかった志摩も頷いた。

「騒ぎは国目付を通して幕閣にも聞こえるはず、我らも心して掛からねばなりますまい」

三人の会議は、七十郎と伝次の処罰の程度をどのようにするかになった。

「特に七十郎は伊東家の流れだが、無役の牢人者、容赦は要らぬ死罪にすべし」

「伝次は如何する」外記が二人に問いかけた。

「伝次は七十郎に請われて来ただけだという、それに七十郎のように無礼な物言いでもなかった」

「ならば、進退召し上げ位か」三人は互いに頷き合った。

「恐れながら」奉行の会議に、慣例では居ないはずの、目付役が同席していた。

「物言いが如何に優しかろうと、分を過ぎた無礼は七十郎と同じことでござります」

三人の奉行の裁定に目付の今村善太夫らが苦言を呈した。

「伝次も七十郎同様、死罪にせよと申すか」外記が声高に質した。

奉行の考えに横槍を入れた目付の態度に腹が立った。

「御後見役様も、定めし同じ考えかと」

善太夫は伊達兵部の名を騙り、二人の死罪を強硬に主張した。

兵部も暗に目付の意見を支持したために、奉行衆は二人の死罪を正式に後見人に上申した。

一方、伊東采女重門について古内志摩と柴田外記は、吟味のうえ赦免と考えていたが、最終的には目付の言うとおり、逼塞で上申することになった。

兵部は当然これに同意したが、江戸の田村右京が書状をもって異論を唱えてきた。

『この騒動の元は奉行の過ちに原因があり、これ以上穿鑿すれば問題が大きくなる。三人の罪を減じて、ことを穏便に済ますことがお国のため、亀千代様のために肝要なことかと存ずる』と繰り返し主張してきた。

その結果采女と伝次は逼塞、七十郎は伊達式部宗倫へお預けとすることになった。

国許仙臺が揺れている折も折、二月には、江戸の上屋敷・浜屋敷をはじめ隣接する兵部邸や右京邸も火災に遭い、麻布屋敷に避難するという災難に見舞われた。

寛文八年三月、罪科の申し渡しは当事者の奉行衆を避けて、評定役の茂庭主水姓元に命じて行わせることになった。

三月二十一日、桃生郡小野本郷の采女の屋敷に茂庭主水からの書状が届き、七十郎と共に仙臺に出頭せよと命じてきた。

上仙した二人は、先ず花壇の里見十左衛門を訪ねた。

「某は、三年前に御役を辞した者でありますし、この通りの盲でございます」

「お主の糾弾がきっかけとなって奥山大学を罷免することが出来た、そして兵部殿に対する諫言は拙者も感じ入った」采女が十左衛門に話しかけた。

「お殿様や七十郎様にお力添えを頂き、お蔭をもちまして本懐を遂げることが出来ました」

十左衛門は慇懃（いんぎん）に礼を言った。

「先頃の国目付饗応における騒動は、既に存じておろうが」

采女は、評定役から呼び出されて仙臺に来たことを告げた。

「呼び出しは、仕置の申し渡しだと思うが、果たしてどれほどの罪になるか」

采女と七十郎は、罪を減じられたことを、未だ知らなかった。

「う～む、奉行衆の怒りを買っただけならばさほどの事はありますまいが、厄介なのは今村善太夫らの目付どもが強硬に死罪を主張し、兵部がそれを支持していることでございましょう」

兵部を呼び捨てにした十左衛門も、氏家伝次を含む三人の罪が軽減されたことを、知り得る立場にはなかった。

そして、十左衛門の次の一言が、二人の命運を決めた。

「定めし切腹の申し渡しでございましょう」

その瞬間、采女と七十郎の顔は硬直し、部屋の空気は凍ったように動かなかった。

「しかし、某の時も兵部の怒りを買って死罪になるところを、皆さま方の助命嘆願のお陰で、今このように永らえております」十左衛門は深く低頭した。

「江戸の田村様からも度々書状の往復があると聞きます、流石に兵部も田村様の言うことを無視出来ないでしょう、何卒御心を確かに持たれますように」

十左衛門の励ましにも似た言葉を背に、二人は里見の邸を後にした。

伊東家の仙臺屋敷に向う間も、二人は一言もなく黙々と歩いた。

「七十郎、どうする」屋敷に着いた二人は、人払いをした部屋で向き合った。

「我等の先祖肥前重信君は政宗公に随って本宮の戦で討死された、どうせ死ぬなら我等も先祖の忠義を継ごうと存じますが如何ですか」

「どうやって、その意志を遂げるのだ」

「ちょうど良いことを思い付きました。以前、亡き新左衛門様が奉行になられた時に両後見役に認めさせた誓紙があったはず、兵部殿がそれを返すように言っていたと聞いております、今それを返すと言って、誓紙と共に短刀を匣(はこ)に入れ、兵部殿のもとに行きます」

采女は頷きながら聞いていたが、その目には興奮の色が見えた。

「家臣に渡してはなりません、極めて大事な物だから、兵部殿に直に渡すと言うのです、誓紙を返しに来たと言えば、兵部殿はきっとお会いするでしょう」

「それで、この儂に兵部を刺せと言うのか、お主は何をするのだ」采女は膝を乗り出して聞いた。

「自分は下僕と称して玄関側に控えていて、兵部殿が殿の前に座ったのを確かめたら直ぐに斬り込みます」七十郎は、年下の采女を励ますように声高に言った。

密議を終えた二人は茂庭主水には会わずに、その夜遅く密かに仙臺を発ち小野に帰った。

呼び出しを受けた主水に会わなかったことが、二人にとって不幸な結末となった。

翌朝采女らは、伊東の家臣たちを集めて二人の考えを告げた。

「評定役からの呼び出しを蹴って発ち帰ったからには、きっと仙臺から討手が来るであろう、皆それぞれ覚悟せよ」

采女の言葉に、七十郎も続いた。

「我等は定めし死罪になる身、奸臣どもの手に掛かって死ぬくらいならば、いっそ兵部殿と刺違える覚悟、これより一関に下って存分の働きをするつもりだ」

二人の言葉を聞いていた家臣一同は、余りのことに茫然とした。

「お待ちください、それは余りにも御無体な遣り口と存じます」

家老奥山出雲が必死に止めに入った。

「お国を我が物にせんとする奸塊(かんかい)どもを一掃するには、頭目の兵部を斬るのが一番の妙手、お国のためならこの命、何ぞ惜しむことがあろうか」采女は一同を見回した。

「藩主後見役の一関殿を刺すとは即ち藩主様を刺すことに同じ、それでは伊東家は滅亡に瀕するばかりか、お国の存亡に係わる大騒動になります、どうかご辛抱くだされ」

出雲の懇願に一同も声を上げて同調した。

「最早決めたこと、明日一関に向かう」

采女たちは、再三の制止も聞かぬどころか、止める者は手討にするとまで言って聞かなかった。

三月二十三日、旅支度を整えた七十郎が玄関に出て、草鞋(わらじ)の紐を結ぼうとしていた時だった、見送りのために控えていた筈の家臣たちに一斉に取り押さえられた。

その騒ぎを聞いた采女が駆けつけ、「汝ら推参」と叫び刀を抜いた。

「そこまでで御座る、諦めなされ」押さえられた七十郎が采女を止めて言った。

「譜代の家来が心を一つにして主に叛くようでは、我らの大望は成就しない運命にあったのです」

七十郎の言葉を聞いて、采女はがくりと膝を折ってその場に座り込んだ。

その後二人は、預給主（おあずかりきゅうしゅ）に捕縛され、捕り手によって仙臺に連行された。

（二）伊東一族の悲劇

伊東采女と七十郎が企てた伊達兵部の暗殺計画は、直ぐさま一関の在郷屋敷にもたらされた。

事の重大さに身の危険を感じた兵部は怒りを露にした。

この事件によって、先に決定された処分案は再審理される事となった。

『采女重門の罪は本来であれば死罪に当たると存じますが、家来衆から重門には逆心はなく、若輩ゆえに七十郎重孝に唆（そそのか）されたとの赦免願が出ていることもあり、その忠義に免じて他家へお預け。七十郎重孝は斬罪、その父母と兄弟は死罪、惣領筋の甥は流罪にするのがもっともかと存じ上げます』

原田甲斐ら奉行衆は、再審理の結果を、書面をもって兵部に上申した。

『采女は若輩というが、七十郎と組んで儂の命を狙ったのは同じこと、斬罪に処せ』

命を狙われて激怒した兵部は、すぐに書状を送って強硬に死罪を主張した。

寛文八年四月一日、兵部は仙臺を経て江戸に上り、田村右京と協議した。

「七十郎の死罪には同意でござるが、采女は譜代の重臣伊東家の惣領であれば、奉行衆の上中どおり他家へのお預けということで決着するが宜しかろう」

兵部の考えを聞いた右京は、奉行の裁断を支持し兵部と対立した。

決められない二人は、老中稲葉美濃守と内談し、その結果、右京の主張が通った。

そして日を置かず、伊東一族に刑が申し渡された。

采女重門は伊達式部にお預かり、七十郎重孝は斬罪、その父利蔵重村入道宗休は切腹、母は死罪に、家財は闕所に、兄善右衛門重頼も切腹、その子正太夫重良、友謙重仍および三郎兵衛祐秀の三人は流罪に処せられ、正太夫の子文四郎、伊織は仙臺より十里外に追放となった。

さきに逼塞とされていた氏家伝次素行は、七十郎らの企みに関係していないにも関わらず、逼塞を取り消されて網地島へ流罪となり、その子大造も仙台より十里外へ追放となった。

一度の審問もないままに、この重罪は決定された。

兵部の秕政に抵抗した者は伊東七十郎を以って、最も烈しいものとして兵部の怒りをかい、兵部がこれまで行ってきた刑罰のうちで、最も悲惨なものとなった。

共に八十歳をこえた七十郎の父母をはじめとして、伊東一族はここに壊滅的な打撃を受けた。

「父上、今夜は酒を召さないのですか」帯刀が父の甲斐に聞いた。

「うむ、今日はその気にならぬ」甲斐は持った箸と椀を膳に置いた。

「どこか具合でも悪うございますか」律も心配そうに言葉を掛けた。

「何でもない、宗誠、後で部屋に来い」言い残して甲斐は先に部屋を出た。

律と帯刀は、不安そうに顔を見合わせた。

やがて甲斐の書斎で親子が向き合った。

「宗誠、お前は族誅（ぞくちゅう）という言葉を知っているか」甲斐は息子を見詰めて聞いた。

「いえ、それはどのような」唐突に聞かれた帯刀は戸惑った。

「唐の国の古制で族滅とも言うとか、重罪を犯した者には、本人のみならずその父母や妻子、或いは兄弟までも処刑して、他の者に対し見せしめにすることと聞く」

「では、この度の伊東一族が蒙った罪は、その族誅ということですか」

「うむ、そういうことになるかな」低く唸った甲斐は、暫く腕組みをしたまま黙した。

「今思えば悔いが残る、騒動の切っ掛けは儂ら奉行が目付どもの為すがままにしてしまったことにある、迂闊であった」甲斐は事件を悔いたように深く溜息をついた。

「私も、あの場にいなければ良かったと、悔いております」

「一関殿には気をつけねばならんぞ、たとえ部屋住みの軽輩であろうと目付の目が光っていることを忘れるな」息子に与える忠告は、同時に自らに対する反省でもあった。

「儂は間もなく惣左と江戸に上る、留守中は何事も隼人に相談して進めるように、決して独断で行ってはならんぞ、それに律やお婆さまも守ってやるのだぞ」

原田家の家老堀内惣左衛門が江戸に居る間は、同役の片倉隼人が留守番をした。

その夜、甲斐は中々寝付けなかった。

——奉行になって五年、自分は一体何をしているのだ、奉行がこれで良い訳がない、御国のため亀千代様のために政をするのが奉行の役目であろうに、儂らは後見役のために政をやっているのではないか、しかし、あの方に逆らうことは出来ない。

甲斐は起き上がり、寝間の襖を開けて廊下に出ようとした。

「どちらに行かれます」律を起こしてしまった。

「うむ、厠だ」用を足し終わった甲斐は廊下で立ち止まった。

——亀千代様がご成人なさるまであと四年か五年か、その時儂は五十四、五だ、はたして奉行でいられるのか、否、それまで生きているだろうか、何事もなく宗誠に家督を譲れるだろうか。

甲斐の頭の中は様々な思いが巡って、見ている筈の外の景色は見えていなかった。

「どうなさいました、お腹の具合でも悪いのですか」気が付くと律がいた。

「いや、そんなことは無い、心配するな」甲斐の考え事が止まった。

「まあ、優しい月ですこと」律が夜空を見上げながら、微笑んだような気がした。

まるで薄衣を透かしたように、朧の月が浮かんで見えた。

「明日は雨になるかな」甲斐には、こうして月を見上げるゆとりとて終ぞなかった。

田植えも終わり、遠く近くに蛙の声が賑やかだった。

三月二十三日のうちに仙臺に連行された七十郎は、米袋（こめがふくろ）の牢に入れられた。翌日、筆と紙を頼んで姉の元に手紙を書いたが、手を縛られていたために、筆を口に銜えて書いた。後の世に口筆の文と言われたこの手紙は、父母と兄弟が皆囚われたことを知って姉に送ったのであった。

入牢の日から三十三日目の四月二十四日、食を断っていた七十郎は、死刑が近いことを悟って、再び筆と紙を頼んで遺書を書いた。書経、論語、礼記から引用された文章は、如何に身体に苦痛を加えられようと、また殺されようとも、その志を曲げないという七十郎の強い信条が読み取れた。七十郎はこの遺書を、首斬役人の諏訪萬右衛門という者に託した。

四月二十八日、伊東一族に刑が申し渡された。

「罪人、伊東七十郎重孝、出ろ」

番人に呼ばれた七十郎は、すぐには立ち上がることが出来なかったが、しばらくして「うん」と唸って筵（むしろ）の上に立ち上がった。

牢役人の前に引き出された七十郎に死罪が告げられた。

「父母や兄弟はどうしている」後手に縛られた七十郎が牢役人に聞いた。

「黙れ七十郎、極悪人のおまえに答える口などない」

冷たい目で七十郎を睨んだ役人は、吐き棄てるように言った。

この時既に父の利蔵重村と兄の善右衛門重頼は腹切って果て、母は縛り首となっていた。

武士の死刑にあっては、切腹は武士の体面と誇りを保つことが出来る死に方であったが、他人の手に掛かって首を落とされるのは恥と思われていた。

三十日余の断食で極度に衰弱した七十郎の身体であったが、後手に縛られた縄を引っ張って駆け出そうとする力は、牢役人が引き摺られるほどであった。

もとより伊達家中の間では、七十郎は剛の者として知られていた。

如何に身体が衰えようとも、その炎のような意気は衰えてはいなかった。

七十郎を箯輿(あんだ)に乗せて刑場まで運ぼうとした牢役人の思惑は見事に外れた。

「あれが噂の七十郎か、なんと惨めなことよ、まるで幽霊のようだ」

「あっ、また転んだぞ」「もう立てまい」「やあ、立ち上がったぞ」「刑場まで行き着けるだろうか」

米袋(こめがふくろ)の牢から広瀬川原の刑場までの道筋には、多くの見物人が押しかけた。
七、八丁の道程を半刻ほどかけて刑場に着いた七十郎は、崩れるように筵の上に膝を折った。
項垂(うなだ)れて喘ぐ七十郎の耳には、広瀬川の瀬音が聞こえていたのだろうか。

対岸の鹿落坂(ししおちざか)にも、斬刑の恐ろしい様を一目見ようとする人々が列をなしていた。

その時、顔を上げた七十郎が、刑の検分役人たちに向かって叫んだ。

「よっく聞け、人の首が前に落ちる時、身体もまた俯すと聞くが俺は仰向けになる、仰向けに倒れたら俺には神霊があると知れ、三年のうちに兵部を滅ぼすだろう」

死力を絞った七十郎の最期の声は、聞いた者たちにとって生涯忘れ得ぬものとなった。

言い終わって垂れた首に、創手萬右衛門の刀が振り下ろされた。

首は三尺ほど跳んで落ちたが、身体は右の脚を踏み出し仰向けに倒れた。

その場の空気は凍りつき、検分役人たちは恐怖のあまり硬直したように動かなかった。

萬右衛門は、血刀をぶら下げたまま茫然と立ち尽くした。

こうして剛勇にして学問を愛した七十郎は、三十六歳の生涯を閉じた。

自由な牢人の身分であった七十郎は全国を巡り、兵学・古学を学んだ。

七十郎らが目指したのは、学問を基礎にした道理による文治政治の道であった。

これは先に里見十左衛門が学問を重んじ、亀千代の教育を重視せよと主張したことにも共通する考えであった。その十左衛門も、この年の十一月に失意のうちに病死した、享年六十であった。

伊東采女は伊達式部に預かりとなったが、伊東家の跡式は采女・七十郎を捕らえた家来たちの願いによって、二千六百七十石を一千八十五石に減らして、亘理伊達安房の次男刑部宗定に継がせることが許された。

「刑部、如何した嬉しくはないのか、一門といえども次男の其方に一千石の地を賜るとは思いもよらぬこと、有難いことではないか」

伊達安房は、目の前に座った息子の煮え切らない態度に苛立っていた。

「それはそうですが・・」刑部は目を伏せたまま答えた。

「かの地は呪われているとの専らの噂、どうにも気が乗りませぬ」

刑部の言う「かの地」とは伊東肥前重信以来伊東氏が領していた桃生郡小野の地であった。嘗てこの地は八十年ほど前の天正年間に伊達政宗によって滅ぼされた長江氏の領地であった。秋保の地で謀殺された長江最後の領主、月鑑斎景勝(げっかんさいかげかつ)の怨念が災いをもたらすとの風説が長く言われてきた。

「他愛もない戯言(ざれごと)に惑わされて何とする」安房は息子を叱りつけた。

そして翌九年、伊東采女重門は二十歳の若さで死んだ。

巷には毒殺されたのではないかとの風説も流れた。

(三) 寵臣 渡辺金兵衛

「もう良い、その話聞きたくない」甲斐は、訪れた茂庭主水の話を聞こうとはしなかった。

伊東一族の最期の様子を報告に訪れた主水は、話しも碌に出来ないまま早々に引き上げなければならなかった。

「まあ、お辰の顔を見ずにお帰りとは」律が慌てて玄関まで見送った。

甲斐の嫡子帯刀の妻お辰は、主水の妹であった。

――儂だ、元はといえば儂の迂闊でこうなったのだ、伊東を死なせたのは儂だ。目付どもの企みに加担してしまった儂の責任は重い。きっと兵部様の差し金に違いない、伊東が岩沼様や涌谷様に訴えたことを憎んだのだ。金兵衛らを使って席次を変更させたのは伊東を罠に嵌めるためだったのだ。それにしても、伊東が兵部様の暗殺を企てたのは結果的に兵部様の思う壺だった。これからも兵部様は自分の遣り方に反対する者たちを排除していく気だろう、よくよく気をつけねば。

甲斐は自らの意思に反して、次第に兵部に掌握されて行く自分を嫌悪した。

伊東一族処刑から四十九日が済んで五日後、兵部から呼び出しを受けていた甲斐は、夕刻になって兵部の邸に向かった。

供侍と中間を伴った甲斐は、片平丁を北に抜け、良覚院丁から大町を横切り、本材木町を北に歩いた。一行が北材木町に差し掛かろうとする時、愛宕虚空蔵の暮れ六つの鐘が背後に聞こえた。兵部邸に向かう小道六町余の道行は、未だ水無月の日は残り、暮れるには早い。

甲斐が案内されて行くと、奥の広間から話し声に混じって笑い声も聞こえてきた。案内された広間には、既に五、六人の者たちが座って、しきりに話し合いをしていた。小姓頭の渡辺金兵衛、目付の今村善太夫をはじめ兵部の寵臣たちが揃っていた。彼らは、入ってきた甲斐の姿に気づき、話を止めて座り直した。

甲斐は上座の近くの席に案内され、下に座っている彼らに軽く会釈を返した。

――いつもの連中が先に揃っているのは、事前に兵部様と会っていたのだろう。何を話し合っていたのだ、奉行にも聞かせられないことか、はて。

少し遅れて着いた柴田外記や古内志摩などが甲斐の側に座った。

これで国詰の重役の大方が一堂に会した。

「待たせましたな」伊達兵部宗勝が小姓を伴って現れ、一同は一斉に平伏した。

「このところ互いに御用が忙しく、方々と久しく酒を酌み交わすことも叶わなかった、今宵は日頃の労に酬いるため宴を開き申した、存分に楽しまれよ」

上座の兵部はいつになく上機嫌に見えた。

そして酒宴が始まって直ぐに、三味線の音に乗って芸者が十人ほど入ってきた。

城下の各所にある料理茶屋には、芸者がよく出入りしていた。

芸者たちは三味線や浄瑠璃を習い、大店の商人や大身の武家などの座敷に出た。

中には江戸下りの芸者もいた。

時が経つにつれて宴は盛り上がり、飲めや唄えとなって座敷は華やいだ。

「あの日からの陰気な気分もこれで吹き飛んだわい」

「左様、左様、厄払いの宴で御座るよ」

「それにしても、あのように上手くいくとは思いもしなかった」

「彼奴らがあのような大それたことを思いつくとは」

「よりによって、後見さまの命を狙うとは」

酒が回るにつれて、次第に寵臣たちの口が軽くなりだした。

三味線や唄いの音が流れる中で、大声で喋る彼らの話しが、上座にいる奉行衆の耳には切れ切れながらも届いた。

隣の志摩を相手に飲んでいた甲斐は、向かいに座っていた外記の視線を感じた。

「原田殿はあの一件は如何に思われますかな」甲斐と目が合った外記が質した。

「あの件とは・・・」甲斐は酔ったふりをして惚けた。

「これはしたり、もはや伊東の件を忘れたと言われるか」

酔った外記の顔が一層赤くなり杯の酒がこぼれた。

前々から席次の件が胸に痞(つか)えていた外記は、金兵衛らの喋りを聞いてその痞えを吐き出そうとした。

「何を今更、今宵はそのような話をする場ではござらん、折角の酒が不味くなるというものでござる」

甲斐は話を逸らそうとした。

伊東の件を話し出せば、饗応の席次問題にまで及ぶに違いなかった。

――外記、お前にも責任の一端があろう、今更蒸し返して何になる。

尚も詰め寄ろうとする外記を避けて、甲斐は然(さ)も救いを求めるように兵部を見た。

「さて、儂はこの辺で失礼する、後は方々の良いように過ごされよ、これからも一層励まれましょう」

甲斐の気持ちを敏感に察した兵部は、甲斐に目配せをして部屋を出た。

それを見た外記と志摩は、兵部に挨拶することもなく兵部邸を後にした。

「お奉行、飲み直しましょう」

広間に残った金兵衛らは芸者を抱きながら甲斐を誘った。

彼らは、外記と志摩の二人が甲斐とは相容れぬ仲になりつつあることを敏感に察していた。

「いや、今宵は十分に飲んだ、潰れぬうちに失礼する」

誘いを断った甲斐は帰ると見せ掛け、密かに兵部の部屋を訪ねた。

「今宵はお招きに与り、忝く（かたじけな）存じます」甲斐は着替えを済ませた兵部に礼を言った。

「いや何の、お粗末でしたな」酔い覚ましの水を飲みながら兵部は笑った。

「間もなく江戸に上りますれば、暫くはお会いできぬと存じますので、この機会にご挨拶を申し上げます」たいして酔ってもいない甲斐は、改まって挨拶した。

「ご苦労ですな、亀千代様には御国の安泰の様子をお伝え下され、それに伊東の件は構えて口になさらぬように願いますぞ」兵部の言葉を聞いた甲斐は、内心戸惑いを覚えた。

――この人は一体自分を買っているのか、いないのか。とにかく今の地位を保つためには、否、筆頭奉行になるためには、この人に付いていなければならない。逆らった者は皆没落した、この人は恐ろしい人だ。

甲斐は兵部を大いに恐れていた。

それは外記、志摩の二人の奉行は無論、重役たちの知るところであった。

前年の寛文七年に志摩は外記や甲斐の同意を得て奉行の勤めに関する五ヶ条の誓詞案を作り、兵部と右京の両後見人の承諾を得ていた。

だが甲斐が業務繁多を理由に連判を引き伸ばし、未提出のままとなっていた。

翌寛文八年三月になって、田村右京から誓詞の件を質された志摩は、改めて五ヶ条について誓約をしようと提案したが、前年には賛成していたはずの甲斐は、その内容が細かすぎるとの理由で連判には反対し、新たに三ヶ条の修正案を提案した。

志摩から意見を質された兵部も、前言を翻して甲斐の三ヶ条に賛成した。

志摩の提起した五ヶ条の中で甲斐が削除を求めた文言には、三奉行中では親疎を分けずに腹を割って談合すること、他人を誹謗せず同役と相談すること、月番の奉行が諸役人から上申を受けるようになどの箇条があった。

甲斐が削除を求めた条項は、兵部に加担する甲斐の一派が日常的に行っていた行動であり、この誓詞のねらいが自分に向けられたものだという認識があって反対したのであった。

本来であれば奉行の役職は、諸役人から直接に事情を聴いて事を決定・実施することにあったが、甲斐の考えはこの形を覆し、小姓頭・出入司・奉行のうちの奉行の優位を崩し、目付役が藩政に関与する余地を更に強める結果に繋がった。

甲斐が小姓頭渡辺金兵衛や目付今村善太夫と結び、同役の外記や志摩と対立する構図が明確となった。

そしてその頂点に居るのが伊達兵部であった。

その後、兵部が支持する甲斐の三ヶ条案と右京が主張する志摩の五ヶ条案が対立したが、結局は両後見人とも五ヶ条の誓詞を提出させることで意見の一致を見た。

右京や志摩・外記らの主張が通ったのであったが、甲斐は頑なに提出に同意せず、結局この奉行誓詞のことは実現しないままに終わった。

　この夜の宴会に先立ち、昼のうちに兵部は金兵衛や善太夫或いは鴇田次右衛門（ときたじえもん）重康（しげやす）ら、膝下の者たちを集めて今後の藩政の進め方について指図していた。

「今、御国の財政は甚だ逼迫していることは皆承知であろう、亀千代様が成人なされて儂が後見役を御免となる時までに、借財を少しでも減らしておかなければならない。ついては、財用方の監視や取り締まりを徹底すること。家中には無駄を省き、倹約に努めるよう触れを出すこと。また、御用達も増やして十分に働かせるようにいたせ、もし奉行衆を介して難儀なことがあれば、儂の命令だと申しつけよ」

藩主後見役の兵部にとって、藩の財政難を打開することが最も重要、且つ喫緊の課題であった。先に兵部が奥山大学を用いて行った藩の独占的な買米制は、この財政難を打開するために、領内の米や大豆などを藩が直接全面的に掌握しようとしたものであった。

また新田開発を奨励し、治水・灌漑の整備にも力を注いだ。

次第に独裁政治の色彩を強めてきた兵部の藩政は、真の執行者である奉行衆をさしおいて、小姓頭渡辺金兵衛・出入司鴇田次右衛門・目付今村善太夫らの寵臣を用いて推進された。

（四）桃遠境論

寛文七年四月に起きた仙臺国目付の城中饗応の騒動が未だ冷めやらぬ十一月、桃生郡（ものうぐん）と遠田郡（とおだぐん）の境界の谷地について、涌谷伊達安芸宗重と登米伊達式部宗倫との間に再び争論が起きた。

後の世に〝桃遠境論〟と言われた紛争である。

伊達安芸宗重の知行二万二六四〇石余、伊達式部宗倫の知行一万四一五〇石余、両者とも伊達家の一門として並びなき名家であった。

この一月前の十月、安芸の元に郡奉行山崎平太左衛門からの書状が届いた。

それによれば『宗倫様は自らの知行地である桃生郡大窪村の田地に続く谷地十町を、若生半左衛門清景なる者に与えるという申請を出入司に出した』という内容であった。

「一昨年には幼い亀千代様を思って儂の方から譲ったのだ、今度は何の断りもなく事を進めるとは、登米殿は困ったものだ」

書院で絵を描いていた安芸は、報せを持ってきた家来を前に、絵筆を置いて溜息をついた。

若き日、豪放磊落の日もあった安芸は五十歳を超えた今、よく詩をつくり絵画も巧みであった。

家来には、安芸の語気が怒りを帯びたように聞こえた。

その語気は再び予感される厄介事への苛立ちか、描画の筆を止められたためか。

秋の半ば、百姓も在郷の下士も稲の刈入れに終日懸命に働いた。

次の日、書院には安芸の嫡男兵庫宗元と家臣の亘理蔵人とが呼ばれていた。

「父上、この度は如何なさいます」兵庫が父の目を見た。

「うむ、早速伊兵衛に命じて二郷村辺りを見張らせておるが」

「こう度々揉めるようでは、先が思い遣られますが」蔵人は安芸の答えを待った。

「そもそも桃生の境は大窪までだ、登米殿が申請したという谷地は我が領内だ」

「その確証はあるのですか」兵庫が父の顔を窺うようにして聞いた。

「うむ、二郷の谷地は貞山公より我家に与えられたものだ」安芸は強く頷いた。

また寛永十六年、二代藩主忠宗の時に行われた「沼川御穿鑿（ぬまかわごせんさく）」でも、当該谷地の中に含まれる竿指沼（さおさしぬま）や長沼、名鰭沼（なびれぬま）は遠田郡と判定されていたことを安芸は記憶しており、宗倫には事実誤認があるとの認識を持っていた。

「とにかく境界をはっきりさせねばならんな」三人の話し合いは暫く続いた。

即日安芸は次のような書状をもって、桃生郡と遠田郡の境界を明確にするように郡奉行に申し入れた。
※『深谷分になっている旭山（あさひやま）の西の谷地は、元々みな遠田分なのだ。であるのに、寛永十七年の検地の以前から、深谷の百姓たちが入り込んで新田をおこしたが、遠田の百姓たちは不覚にもこれを見逃し、また検地のおりにもそのことを申し上げなかったために、それらは深谷分の田として決定してしまった。既に検地で深谷分に編入された田についてはいまさら問題にするつもりはない。が、その他の谷地の分は、互いの証拠によって、自分と式部殿との両方の家来の相談で境を決めることにしたい』
郡奉行はこの安芸の意向を登米の式部に伝え、伺いをたてた。

寛文八年二月、式部は次のように言って安芸の申し出を拒絶した。
※『先年の赤生津村谷地を巡る論争でも、自分にはたしかな証拠があったので、事件は無事に済んだ。

いままた、大窪村谷地について安芸殿と紛争を起こしたというのでは、時節がら好ましくない。谷地境のことは郡奉行山崎平太左衛門の判断で決定してもらいたい』

式部の意見は、この件の解決は藩の裁断に任せるということであった。

しかし、事はそう簡単には行かなかった。

決着を急ぐ安芸は、双方の家中立会いのもとで郡境を定めようと数度に亘って式部に申し入れたが、式部は応じようとはしなかった。

その後のやりとりの結果、三月の末になって安芸が式部の主張を容れて、藩の検使をたてて境を決めることに同意した。

寛文八年四月、式部は仙臺に上った。式部宗倫は隠居した前藩主綱宗の兄である。

「郡奉行に境界のこと申し付けたに、半年経っても何の動きもないのは如何なることか」

声高に語る式部の前には、藩政の最高執行者たる二人の奉行が畏（かしこ）まっていた。

仙臺藩は、一門が政に口を差し挟むことは遠慮とされていたので、この日の式部の奉行に対する物いは異例のことであった。

「早々に検分役を当地に派遣して、双方の言い分を聞いた上で境を定めよ」

式部は目の前の二人に返答を催促した。

「この件に付きましては鋭意努めておりますが、何かと用向き繁多にて遅延致しておりますこと、お詫び申し上げます」原田甲斐宗輔が慇懃に低頭した。

「伊東の件は其処許らの所為であろうが」式部の皮肉が甲斐の胸に刺さった。

「登米様、秋には国目付が下ってくることでございましょうから、しばらくの間、訴えをご遠慮願いとう存じます」

一年前の饗応席次問題の蒸し返しを嫌った古内志摩が式部の言葉を遮った。

一月前の三月に兵部の暗殺を企てた廉で、伊東采女と伊東七十郎が捕えられ、評定役の沙汰を覚悟していた時期でもあった。

甲斐と志摩たちに諭された式部は、しぶしぶ訴えを撤回した。

しかし、翌寛文九年二月三日、国目付が江戸に帰ると、式部は奉行に再び上申し、願いが容れられなければ、直接両後見人に訴えると強硬な申し入れを行った。

式部が奉行に提出した口上書によれば
『安芸が遠田郡分だと主張する当該の一帯は、寛永検地の後にも既に数名の者に新田を拝領している。遠田の百姓たちが、これに異議を唱えなかったのは、元々この谷地が深谷分だったためで、不覚などと申すべきものではない。自分が安芸の領地を押領して、若生半左衛門に与えたとあっては、武士の一分がたたない』と、式部は憤懣をあらわにした。

これに対して『式部の知行地を親の代から押領しているように言われては、自分だけではなく先祖まで嘘をついていたということになって面目が立たない』と、安芸も同様に憤慨していた。

「やれやれ、また来ましたな、厄介なことになった」

「何しろ一門同士の争論ゆえ、当方としては迂闊に裁きは出来ぬ」

「双方とも自分の知行地だと言ってきかぬ、これでは話し合いでの決着は難しいだろう、どちらかが折れてくれれば良いのだが」

「かと言って我らには何ともならぬ、どちらも頑固者だから始末に負えぬ」

「登米方が後見人に訴えぬうちに、我らの方から伺いをたてるしかあるまい」

江戸から帰ったばかりの柴田外記は古内志摩と相談の上、手に余った問題の解決を伊達兵部と田村右京の両後見人に託した。

　一門同士の争いに動揺する中、甲斐の嫡男帯刀に相次いで子が授かった。寛文六年に長女お藤が、七年には長男采女（うねめ）が生まれた。

甲斐は、重臣らを招いて祝宴を開いた。

「原田の御家も、益々安泰でござるな」

招かれた客は、祝儀を持ち寄り口々に祝意を述べた。

祝宴の日から七日経って、甲斐は外記と入れ替わりに江戸に上った。

（五）田村右京と原田甲斐

　寛文八年六月、江戸に上った甲斐は、早々に愛宕下の上屋敷において藩主亀千代に目通りし、出府の挨拶をした。この年、亀千代は十歳になっていた。

上屋敷を下がった甲斐は次いで田村右京宅を訪ねた。

近頃身体の具合が悪いという右京は、少し頬がこけ顔色も冴えなかった

「国目付饗応の際の席次の件は、目付を通じて幕閣（ばっかく）の耳に入った、御老中から詳細を報告せよとの命があり、既に謝罪を込めて申し開きしたところだ」

挨拶もそこそこに、右京はぶっきら棒に言った。

「あの件は偏に我が身の不徳の致すところ、申し訳ございませぬ」

「それよ、奉行衆が下の者の言うことに従うとは、前例の無いことだ」

甲斐は確かに席次を違えたことは自分の迂闊であったが、その後に伊東七十郎や氏家伝次らが自分に向けた悪口、雑言は決して許せぬ無礼な事と思っていた。

「唯々、詫びるのみに御座います」何度も頭を下げる甲斐は、申し開きはしなかった。

「小姓頭や目付らの分を弁えぬ増長振りが頻りに聞こえて来るが、それは真か」

「一関様は御国の財政を立て直すためにご苦労をなさっておいでにございます」

「それと目付の増長振りと何の関わりがあると言うのだ」右京の目は甲斐を見据えていた。

「目付らは財用方を厳しく監督して、出費を極力抑えているとのことでございます」

「それは出入司の仕事であろう、目付の職分ではない。そもそも、その者らを使うのが御手前方奉行衆の務めでござろうが」

「面目次第もございません、今後は務めに邁進致します」

畏まる甲斐の姿を見て右京は、甲斐に対する認識を新たにした。

――やはり此奴は喰えぬ、兵部に取り込まれた駒のひとつに過ぎぬ。

右京は前月に幕府旗本の桑島孫六郎吉宗から長文の書状を受け取っていた。

孫六郎の父は伊達輝宗に仕えていたが、のちに馬医として幕府に召抱えられていた。

孫六郎の三男五郎左衛門吉成が伊達の家臣であり、仙臺藩の実状に詳しかった。

孫六郎の書状は仙臺家中の動静をつぶさに報告すると共に前年に目付から小姓頭に昇進していた渡辺金兵衛と目付の今村善太夫らが伊達兵部に重用されて政治の実権を握っている実態が記されていた。

金兵衛の「無二の一味」として、奉行の原田甲斐をはじめ、甲斐の義弟で評定役津田玄蕃景康、玄蕃の弟で江戸番頭高泉長門兼康、小姓頭大町権左衛門定久、江戸品川家老後藤孫兵衛近康、出入司鴇田次右衛門重康それに目付早川淡路らの名をあげた上で※『ただ今立身している者は、みな金兵衛や善太夫のひいきであり、衰えた者は彼らと合わない人々である、その上で、仙臺で揉め事が絶えないのは、これらの悪人どもの勢であり仙臺人の心ばせが義理を失い、へつらいと邪悪ばかりになってしまったのは、一重に兵部様が悪人どもを一味にして不善をなしているからである。このごろは万事が金兵衛・善太夫二人の言うとおりになっている』との趣旨の書状であった。

「それと・・」右京は話を転じた。

「涌谷殿と登米殿との間で、谷地の開墾を巡って争いが生じておるらしいが、まだ解決していないのか、こちらには切れ切れの報せしか入って来ぬ」

「登米様が、大窪村の西に続く谷地を若生某に与えたことに、涌谷様がそこら一帯は自分の領地だと言って、登米様に強く抗議したことから争論になっております」

「それは既に聞いておる、双方とも奉行衆に裁きを委ねたと聞くが」

「何せ御一門同士の争いでありますゆえ、我らも難渋いたしております」

「兵部殿からは何も言ってこないのか」右京は甲斐を試すような目で尋ねた。

「一関様には、未だお知らせしておりません、某は御役目でこちらに参りましたので、その後のことは存じ上げませぬ」

「うーむ、奉行が三人ではのう、いっその事、目付にでも頼んで見てはどうか」

右京の口から飛び出した強烈な皮肉は、甲斐の背筋に冷気を感じさせるものであった。

その後間もなく、仙臺の奉行から江戸の兵部と右京宛に書状が届いた。

式部の強硬な訴えを受け、処置に困って両後見人に指示を仰いだのであった。

兵部と右京は甲斐を同席させて、上屋敷で話し合いを行った。

「一門の知行地といえども藩主様の御領地、本来であれば亀千代様が判断なさるところであるが、御幼少であればそれも叶わぬ」右京は当たり前のことを言った。

――藩主が幼少だから、お前たちが後見役に選ばれたのであろうが。

先程から二人の会話を聞いていた甲斐は、胸の内で嘲笑していた。

「原田殿はどう思われる、何か妙案は御座らんか」

「恐れながら、これといって・・奉行衆も処置に困って、お二人にお願いしております」

「いっそのこと、半々ということではどうか」兵部がまるで捨鉢のように言った。

「お二人とも係争地の全部が自分の物と言い張っておりますので、一向に埒が明きません」

「双方とも同じ一門、難しいのう」兵部は腕を組んで天井を見上げた。

「この件が長引いて他家に聞こえたり、お上を煩わせるようなことが有ってはならぬ」

結局二人の後見人は、奉行を通じて一門の石川民部宗弘と伊達弾正宗敏に仲裁を依頼することになった。弾正と民部は是非を論ぜず堪忍するよう進言したが、式部と安芸は互いに主張を譲らなかった。

　もてあました両後見人は、伊達家と幕府の間をとりもつ申次衆で江戸町奉行島田出雲守利木や作事奉行、勘定奉行らを通じて、ついに内々に酒井雅楽頭忠清に伺いをたてた。

雅楽頭は寛文六年以来、老中から大老に昇進していた。

だが、雅楽頭からは、表沙汰にせず早々に決着をつけよ、と言われただけだった。

そこで両後見人は、立花飛騨守忠茂に相談を持ちかけた。

筑後梁川城主であった立花飛騨守は、この時既に隠居して好雪と名乗っていた。

その妻は伊達二代忠宗の長女鍋姫であった。

また、兵部宗勝は伊達政宗の十男で、好雪の義姉を妻としていた。

伊達家と立花家は姻戚関係で結ばれており、好雪は伊達の相談役的な存在だった。

好雪に面会した両後見人は、国許で起きている谷地紛争について説明し、その上で雅楽頭の内意も伝えた。

「ご隠居様には、突然にご面倒をお掛けしまして誠に恐縮に存じます」

兵部と右京は、好雪に対し次のような裁定案を提示し、好雪の意向を窺った。

それは『式部の方が理が強いようだから、三分の二を式部とし、三分の一を安芸とする』というものであった。

「仙臺への申し渡しには、安芸は年嵩（としかさ）だから堪忍するようにと伝えることにしようと存じます」

「なるほど妙案ではありますな、それで宜しかろう」

好雪は、事の重大さを十分に理解しないまま易々と諒解した。

　寛文九年五月二十三日、両後見人は裁定案を作り、雅楽頭に内諾を得ることが出来た。

仙臺に通知する裁定案は『式部と安芸の夫々に与えられる知行地の定めと共に、本来であれば双方詮議の上で決めるべきであるが、藩主様ご幼少の折からそれも出来ない。このまま争論を続けては藩主様のためにならないので双方とも宜しく堪忍するように』という内容で、仙臺藩の有力な一門同士が公然と訴訟で争うことは外聞に障るから、双方ともこれで諒解しろということであった。

しかし、事を平穏に収めようとするならば、式部・安芸双方半々とするのが常識的な裁定であるはずが、単に年齢差だけを理由に定めたのは安易に過ぎた。

「一関殿、果たして涌谷殿がこの裁定を飲むだろうか、四年前の時も亀千代様をおもって辛抱したのだから、二度までもとなると・・」

右京には決まったはずの裁定に些かの不安があった。

「登米殿の主張と証拠には涌谷殿より理があるし、それに登米殿は前藩主様の兄君でもあるので、配慮があって然るべきでしょう」

言い切った兵部には、自らの政治に批判的な安芸に対する感情があった。

　五月末、この旨を受けた評定役茂庭主水は、江戸を発って仙臺に下り、奉行柴田外記・古内志摩と共に、石川民部・伊達弾正をたずね事情を報告してから涌谷に向かった。

「何たることだ、一度の取調べもないまま三分の一とは、到底承服し兼ねる。この上は知行を返上して山に篭り、若君が成長したら訴訟する以外にない」

通知を受けた安芸は、当然ながら不満を露にし、激しく抵抗した。

安芸の抵抗を予想していた奉行らは、「亀千代様御為」と説得を繰り返した。

そのため一旦は裁定を拒否した安芸ではあったが「殿様御為の儀と仰せ下され候うえは、とかく申し上ぐるに及ばず」と言って、六月九日ついにこれを承認した。

じつは、安芸は裁定案には酒井雅楽頭の意向がはたらいていたことを知っていた。

一方、三分の二を認められた式部の方も年少だから多くなったという理由に不快感を示したが、「亀千代様御為」をもって説得された結果、不承不承ながらも裁定を受け入れた。

数日後、安芸の次男黒木中務宗信（くろきなかつかさむねのぶ）のもとに安芸からの書状が届いた。
☆『今回の谷地裁定で主張が容れられず、自分は恥をかかされてしまい、今後は渡辺・今村や兵部が自分のことを悪人呼ばわりするようになるかもしれない』と懸念を見せた。

茂庭主水は江戸に上る道中で、国許仙臺に下向中の兵部に会ってこれを報告し、結果は雅楽頭にも告げられた。

多くの関係者を煩わせた論争は、兎にも角にも一段落をみた。

(六) 鬼役

寛文八年は仙臺藩と原田甲斐にとって不吉な年であった。

二月に藩の上屋敷と浜屋敷、伊達兵部邸と田村右京邸が焼失し、麻布屋敷に避難した。

四月には伊東一族の処刑があり、七月二十一日には大地震に見舞われて領内広く被害があり、城の石垣や土手が大規模に崩れた。

そして七月のある日、甲斐のもとに凶事の報がもたらされた。

「殿、丹三郎殿が、大変なことになりました」

夕刻、家老堀内惣左衛門が甲斐の居室に駆け込んだ。

「なにっ、丹三郎がっ・・」甲斐は、書き物の筆を置いて立ち上がった。

「小姓組の話では、俄かに腹の痛みを訴え、吐いて倒れたとか申しておりましたが」

丹三郎は伊達兵部の命により、藩主亀千代の小姓として仕えていた。

甲斐は当初、丹三郎を小姓に上げることを固辞していたが、丹三郎は亀千代様の御為ならばと言って進んで要請を受けた。甲斐が要請を固辞したのは、二年前に起きた藩医河野道円父子の事件にあった。事件の真相は不明のまま沙汰止みとなったが、何者かが亀千代の毒殺を企てたのではないかとの疑いが拭いきれなかった。

「それで、丹三郎は何処におるのだ」

「たった今、こちらに運ばれて来ました」

甲斐が見た丹三郎の顔には、既に白布が掛けられていた。

「丹三郎、目を開けろ、儂だ、丹三郎」

甲斐は白布を捲って必死に呼びかけたが、丹三郎の目は閉じたままであった。

呆然と丹三郎の顔を見詰めていた甲斐は、ふと丹三郎の閉じた口元に、微かに血の痕がこびりついているのを見つけた。

「惣左、遺体が運ばれた時、誰がついて来た」

「小姓組と目付の者が三名ばかり」

「その者らは何と言っていた」

「食べたものに中(あた)ったのではと申しておりましたが」

甲斐は惣左衛門に命じて、小姓組と藩医それに料理人を呼んだ。

「丹三郎は御屋形様の試(こころ)みをしたのだな」甲斐は小姓に詰め寄った。

「いつもは組頭が行いますが、今日は組頭が急用のため、塩沢殿が代わりに行いました」

「偶々（たまたま）ということか、本来ならば小姓頭が死んでいたかもしれんということだな」

「いや、それは何とも・・」

「丹三郎の他に、毒見をした者はいなかったのか」

「はい、塩沢殿だけでございます」

甲斐は、淡々として答える小姓から向き直って藩医に聞いた。

「其方、丹三郎の死因をなんと見たっ」

「しょ、食あたりかと・・」

藩医の山下玄察長勝は、甲斐の勢いに怯えて絶え入るような声で答えた。

甲斐は、膝に置いた玄察の手が小刻みに震えるのを見た。

「馬鹿を申せ、食あたりで血を吐くものかっ」

丹三郎が吐血して死んだことが見抜かれて玄察は蒼ざめた。

「夕餉には、何を出した」甲斐は料理人にも聞いた。

「野菜の煮つけ、魚は鱸（すずき）の焼いたもの、蛤（はまぐり）の汁物、香の物それに菓子と果物などでございます」

料理人の額には、あぶら汗が光っていた。

「血を吐いて倒れたとすれば、何者かが毒をもったとしか考えられぬ」

甲斐は料理人を執拗に問い質したが、料理人は知らぬと答えるばかりだった。

そこに目付が入って来て、横から口を出した。

「二人の申すとおり、置毒の疑いは無いものと存じます、後見人様にもそのように報告したところ、お奉行様にもお報せするようにとのことでございました」

甲斐は目付を無視して尚も三人を問い質したが、その都度返答は変わらなかった。

仕方なく三人を帰した甲斐は、はっと我に返った。

――しまった、あの三人を一緒に呼びつけたのが不味かった、互いに真相を語ったことが知れるのを恐れたに違いない。ということは誰かに口止めをされているのか。

甲斐の脳裏に二年前に起きた置毒事件の記憶が蘇り、言い知れぬ恐怖を覚えた。

甲斐は、その後も手を尽くして丹三郎の死の真相を突き止めようとしたが、聞く者は皆固く口を噤んだままであった。

「原田殿、此度は真に愁傷なことでありました、丹三郎殿は小姓の中でも一段と忠勤に励まれた、惜しい若者を失った」上屋敷で顔を合わせた兵部が、形通りの悔やみを言った。

「小姓頭の報せでは、食あたりであったと聞くが、季節柄気をつけねばのう」

「そもそも、お毒見は与頭、膳番、小姓頭の順に致すもの、この日に限って何故先に小姓の丹三郎にやらせたので御座いましょうか」

「さて、それは儂にも合点がいかぬこと、儂は膳部のことまで関わってはいない」

甲斐は、兵部にそれ以上質すのを止めた。

――あの時と同じだ、結局、真相は闇のままであろう。

結局、丹三郎の死の真相は、誰も語る者はなく闇に葬られた。

塩沢丹三郎、享年二十三。

――やはり、丹三郎を江戸に上らせるのではなかった、儂が兵部殿の頼みを固辞したにも拘らず、丹三郎はなぜ進んで受けたのだろうか。

丹三郎の面影を自分の息子たちに重ねるたびに甲斐の胸が痛んだ。

丹三郎の仮の葬儀は芝の増上寺で営まれ、遺骨は甲斐の家来たちに守られて国許に送られた。

第四章　谷地検分の不正

（一）　血判誓詞

伊達安芸と伊達式部との境界争論は、双方多少の不満を見せたものの、一応の決着をみた。そして先の裁定に従って、寛文九年七月に谷地配分の実測が行われることになった。

測量の検分役人には、徒小姓頭（かちこしょうがしら）浜田市郎兵衛重次（はまだいちろべえしげつぐ）・志賀右衛門由清（しがうえもんよしきよ）、それに目付（めつけ）今村善太夫安長（いまむらぜんだゆうやすなが）・横山弥次右衛門元時（よこやまやじえもんもととき）をはじめ、数十人が派遣された。

遠田郡と桃生郡の境に近い百姓の多くが徴発され、縄張りのため繁茂する萱や雑草の刈り払いが行われた。

「今日は、ここから六町の検分を行う、誤り無きよう励め」

早朝の薄明かりの中、検分役人の声に押された百姓たちは重い腰を上げた。

女子どもは肝入の屋敷で飯を炊き、検分役人や百姓たちに握り飯や水を届けた。

盛夏の炎天下に、検分は約一か月に及んだ。

検分の結果、野谷地の総面積は一二三三町余りであると確認され、安芸の遠田郡には三分の一の四一一町余、式部の桃生郡には三分の二の八二二町余が配分され、大塚八九、小塚一七三の大小合わせて二六二の境塚を立てて郡境を明示し、絵図面を作成した。

その上で、谷地に接する両郡村々の肝入たちから、これ以後は双方ともに境界を越えて草刈や萱刈りに立ち入らないとの証文を取った。検分役人が仙臺に帰ったのは、八月もなかばであった。

ところが、この過程で数々の問題点が明らかとなり、それはやがて藩の屋台骨を揺るがす大事件の発端となった。

「なにっ、もはや判形したと申すか」

涌谷の在郷屋敷の小書院に、安芸の大きな声が響いた。

「儂の許しも無いままに、判形するとは何事じゃ」

「真に申し訳ございません」

安芸の目の前には、家来の須田伊兵衛が平伏し、肩を震わせていた。

「仔細を申せ」

伊兵衛は顔を上げることも出来ずに、判形に至った経緯を語り始めた。

「検分が終わり、仙臺の役人衆が新たな絵図を作り、桃生、遠田両家の家来と肝入に判形を求めたのでございます。私は、御殿様の御許しがなくては判形はできないと何度も断りました」

「そのとおりじゃ、にも拘らず判形したとは、どういうことじゃ」

「しかし役人は、これは案紙であるからといって、無理に判形させられたのでございます。真に迂闊でございました。この上は、如何なる御処分も御請け致します」窮まった伊兵衛は、落涙して詫びた。

善太夫らは、絵図はあくまでも控えであり、安芸と式部とが吟味をした上で、正式な図面を作ることになる、と言って伊兵衛を謀った。

「其方を処分したとて何にもならぬが、家に帰って謹慎しておれ」

安芸は、伊兵衛に切腹を申し付けようとしたが、思いとどまった。

検分役人の不正を糾弾する過程で、伊兵衛の証言が必要になると思った。

安芸の不満と怒りは、これだけではなかった。

これより先、測量において数字の計算とは違って塚を立てようとしたことがあり、桃生の百姓の言い分は、間違ったことでも取り上げ、遠田の百姓の言い分は、証拠のあることまで認められなかった。

また本来であれば、遠田郡の領域に入るべき名鰭沼は、明確な証拠があるにも拘らず、その半分を桃生郡に配分された。

その他、争論のきっかけとなった遠田郡二郷村の部分が三分の一より大きく削られたり、配分対象となるべき桃生郡の侍屋敷に付属する土地を谷地分けの総面積から差し引いたり等々、桃生郡側に有利な配分となっていた。

この結果、遠田郡方、安芸についた谷地の面積は総面積の三分の一どころか、四〜五分の一に過ぎなかった。

この検分は明らかに伊達式部に依怙贔屓したものに見えた。

検分の指揮を執っていたのが安芸と折り合いが悪い今村善太夫であったし、その善太夫が安芸の家来二人に対しての無礼な振る舞いも、安芸にとっては我慢ならぬものであった。

安芸の谷地検分に対する不満は日を追うごとに高まっていった。

安芸の屋敷には、重臣・重役たちが集まっていた。

「此度の谷地検分についての実態は、到底受け入れ難いものであることは、先刻申したとおりである」

家来たちは固唾を呑んで、安芸の言葉に注目した。

「すぐにでも奉行らに検分のやり直しを申し立てようと思ったが、あいにく国目付が滞在中でもあり迂闊に動けない、国目付が帰るまで待とうと思う」

検分の実態について家来から報告を受けて激怒した安芸ではあったが、八月二十二日以来滞在している幕府の国目付に配慮してすぐには動かなかった。

「殿、それが宜しかろうと存じます、国目付の耳に入っては面倒でございます」

この時点では、安芸はこの問題を内輪で解決出来るものと思っていた。

そして年が開け、寛文十年一月十二日、安芸の主だった家来十人が安芸の前に座った。

「殿、我ら一同の誓いにございます」家老の亘理蔵人が、安芸に誓詞を手渡した。

『此度、御隠密に仰せ聞かせられ候儀、他言仕り申す間敷く候、若し他言仕るに於ては、氏神愛宕明神之御罰を蒙る可き者也』

安芸が家中に決意を打ち明け、協力を要請したことに答えた血判誓詞であった。

　一月二十二日に国目付が江戸に戻って四日後の一月二十六日、安芸は柴田外記・原田甲斐・古内志摩の三奉行に対し口上書を提出した。

口上書は『去年八月遠田郡二郷村の谷地分けの際に、検分役の志賀右衛門や今村善太夫らが当方の代官が儂の指図を受けてからにしたいと言ったにも関わらず無理に判形させた、よってあの判形は無効である。御殿様が成長した暁には、政宗様、忠宗様の黒印状その他の証拠になる文書をそろえて谷地分けの実状を御耳に入れ、先祖が押領などしていないことを明らかにするつもりである。その旨を両後見人に伝えてもらいたい』と言うものであった。

この時期、三人の奉行のうち柴田外記は江戸詰で、国許には原田甲斐と古内志摩の二人がいた。

この口上書に対して、二月十三日に甲斐と外記の連署で返答が届けられた。

『谷地分けの件は去年既に解決済みになっている、少しばかりの不足は堪忍すべきであり、後見人への取次ぎも出来かねる』というものであった。

「奉行からはまた辛抱しろと言ってきた、五年前の紛争の時も亀千代様のことを思って譲ったのに、いったい何度我慢すれば良いというのだ」

奉行からの返書を見た安芸は、尚更に苛立ちを見せた。

「登米殿が死んだからと言って、事が済んだというわけには行かぬ」

安芸との係争真っ只中の寛文二月十日、登米伊達式部宗倫が三十一歳の若さで急逝した。

寛文九年十二月九日、十一歳となって元服した亀千代が、将軍徳川家綱に拝謁し、「綱」の一字を賜って綱基と名乗り、従四位下左近衛権少将兼陸奥守に任じられた。

式部はこの御礼のために一門衆の名代として江戸に上ったが、寛文十年二月四日仙臺に戻ってすぐに死去した。旅の疲れに加え、風邪をこじらせたのが原因と言われた。

三代藩主綱宗の兄として、伊達一門の中で威勢をふるった式部の死は余りにも突然であった。

だが、安芸は後見人への訴えをやめなかった。

安芸がこの時点で問題にしたのは、式部との谷地紛争はともかくとして、谷地配分を行った検分役人たちの不正にあった。

そして、不正を行った役人たちの上には、三人の奉行が居り、更にその頂点には伊達兵部宗勝の存在があった。

安芸の訴えは、式部の死去に関わりなく続けられた。

（二）後姿

一晩中吹き荒れた風は今朝には治まり、仙臺の町は静かさを取り戻した。

風に耐えた梅の花は、凛とした姿を見せていた。

甲斐は兵部からの呼び出しを受けて、急遽江戸に上らなければならなかった。

その翌日、甲斐は屋敷に留まり、家来たちに命じて旅支度を整えさせていた。

「今度の上京は、長くなるのですか」妻の律が、甲斐の着物を畳みながら聞いた。

「行って見なければ分からん、着いたら知らせる」

さきほどから何かしら書状を認めていた甲斐は、律を見るでもなく答えた。

「丹三郎もいないし、また寂しくなります」

律が可愛がっていた塩沢丹三郎が死んでから二年が経っていた。

「船岡に寄ったら、宗誠らにこっちに来るよう言っておこう」

「まあ、お藤や采女に会えるのは楽しみですこと」律の口調が、急に明るくなった。

日が暮れて、屋敷内はいつものように静かになった。

夕餉が済んで灯火が点る部屋に、律が琴を前にした。

やがて律が爪弾く琴の音が静かに流れた。

甲斐は、律の弾く琴の音を、長く忘れかけていたことに気付いた。

奉行になってから八年余、激変する藩政に忙殺された日々が続いていた。

「律、すまぬな」

「えっ、今なんと・・」

律は、甲斐が日頃になく、自分を見据えて言葉を掛けたことに不審さを感じた。

甲斐は何も言わずに、杯を持ったまま立ち上がり、障子を開けた。

朧な月の光を受け、川向うの山がまるで黒い屛風を立てたように見えた。

琴の音は甲斐の身体に纏わり付きながら、余韻を残して消えていった。

　二日後、甲斐は律を仙臺屋敷に残し、家老堀内惣左衛門以下五名の家来を従えて江戸に向かった。

途中、国許船岡に寄って菩提寺、東陽寺で先祖の墓に参り、旅の無事と家の安泰を祈るのが恒例であった。

早春の薄青の空に雪を頂いた蔵王連峰の雄大な姿が見事であった。

白石川の土手に立つ柳が蔵王おろしの風に揺れた。

未だ新芽の固い木々の上を、渡り鳥の群れが北を目指す。

数え四歳になった采女と一頻(ひとしき)り遊んだ後、甲斐は嫡男の帯刀と向き合っていた。

「今度の江戸は、少しばかり長引くかも知れぬ」

「やはり、涌谷様と登米様とのことで腐心なさっておいでですか」

「うむ、式部様が亡くなっても、安芸様は訴えを止めぬ」

「此処には詳しいことは聞こえて来ませんが、父上はじめ奉行の方々に訴えがあったのでしょう、何とお答えしたのですか」

「安芸様には御殿様のために堪忍するようにと何度も説得はしたが容れられず、どうも江戸の両後見人に訴えるようだ」

「それでは奉行の面子が無いではありませんか」

「今の奉行には面子など無いに等しい」甲斐は、まるで吐き棄てるように言った。

「後見人様の政は以前とは大分違うし、しかも変わりようが急すぎると、非難する人が多いとか聞きますが」

「その為に様々な問題が起きている、今度の領地境の件は尚更に難しい」

「特に一関様が目付や小姓頭を贔屓しているため、彼らの増長振りは家中の怒りを買っておるとか聞きますが」

兵部一派と見なされている甲斐にとっては、耳が痛い息子の言葉であった。

「父上も取り込まれぬよう、お気をつけて下さい」

帯刀は、父親がもう後戻り出来ないところまで来ていることを知らなかった。

父子の会話はしばらく続いたが、帯刀は父の髪に白いものが増えたと感じた。

武家の慣わしとして、夕餉は会話もなく静かに終わった。

「宗輔、少し痩せたのではありませんか」

食事が終わり、母の慶月院が甲斐に話しかけた。

「近頃に用が立て込んで、寝る暇もありません」

「ちゃんと食べていますのか、律殿はちゃんとした食事を出しているのですか」

甲斐はまた嫁いびりが始まったと、苦々しく思った。

甲斐の膝で居眠りを始めた采女は、母の辰に抱かれて寝間に下がった。

その夜、甲斐は様々な思いが巡って、なかなか寝付けなかった。

――安芸様は儂ら奉行の言うことを聞かず後見人に訴えると言うが、後見人の二人は互いに反目し合っている、恐らく新たな対立の火種になるに違いない。このままでは御国は二つに割れてしまうことになる。安芸様の訴えが内輪で解決されれば良いが、万が一幕府を煩わせることになった場合には、奉行としての儂の立場はどうなる。

前藩主綱宗が逼塞・隠居して、幼君亀千代の後見人として伊達兵部・田村右京の政治が行われるようになってからは、兵部の偏った人事のもとに推し進められた政策が、従来からの藩の仕組みをも大きく変えることとなった。

家中は兵部に付く派と、兵部を非難する派に分かれる様相を見せていた。

翌朝早く、よく眠れなかった甲斐は、一人逍遥(しょうよう)して川の土手に立った。

ふと、川辺に佇み、じっと何かを見ている家老の堀内惣左衛門の姿に気がついた。

「惣左、何をしている、そろそろ出立の時刻だ」

甲斐の声に少し驚いた様子を見せて、惣左衛門が振り返った。

「はい、只今参ります」

「何を見ていたのだ」

「あれを」惣左衛門が指差した先には、一羽の白鳥が静かに浮かんでいた。

「あれはきっと年老いた鳥でありましょう、もう長くは飛べないのか、北に帰る仲間たちを見送るしかないのでしょう、不憫なものです」

甲斐には惣左衛門の言葉が、惣左衛門自身を言っているように聞こえた

――やはり惣左にとって長旅は無理かな。

「惣左、もう無理をせんでも良いぞ、此処に居れ」

「いや、惣左衛門は殿と一緒に参りますぞ、まだまだ老いてはおりませぬ」

甲斐は、弱みを見せまいとする惣左衛門と共に屋敷に戻った。

その頭上遥かに、北に帰る鳥たちの群れが、鈎の形となって飛び去った。

出立を前に、帯刀に言った甲斐の言葉は、帯刀にとって忘れられぬものとなった。

「おばばさまや律、それにお辰やお藤と采女を護るのだぞ、良いな頼んだぞ」

――今まで江戸へ向かう時にあのようなことを言ったことはない、それに父の表情はいつになく硬かった、何を言いたかったのだろうか。

国老の片倉隼人らに後事を託した甲斐は、惣左衛門以下五人の供を従えて江戸に向った。

次第に遠ざかる原田甲斐宗輔の後姿は、見送る人の見た最期の姿となった。

(三) 堪忍袋

寛文十年三月二十二日、江戸に向った甲斐の後を追うように、両後見人に宛てた伊達安芸の訴状が、安芸の家来によって提出された。

安芸の許には二月、三月と、家来二十三名から新たに血判誓詞が提出され、安芸・兵庫父子と共に生死をかけて行動すると忠誠を誓っていた。

口上之覚には――
一、奉行衆が決着済みと言っている谷地分けの件は、まだ終わっていない。

一、谷地の分配を式部方に三分の二、自分には三分の一というのは不満である。
一、先年の赤生津村と小里村の谷地について、自分に非があったと式部が奉行に報告しているのは甚だ遺憾である。
一、検分役人は、自分が先祖の代から谷地を押領していたなどと、根拠のないことを言って自分の面目を潰したが、これにはきちんと反論する覚悟である。
一、今村善太夫安長や横山弥次右衛門元時ら四人の検分役人の谷地分けはまことに偏頗(へんぱ)である。目付役として人々の曲直をあらためるべき役目にありながら不義の至りで政の害になる。また善太夫が行った、自分の家来に対しての無礼な言動は許し難い。
一、他にも申し上げたいことがあるので、江戸に上って両後見人に聞いて貰いたい。
長文の口上之覚は、検分役人の吟味を願うという奉行への口上書に加えて、後見人による裁定についても不満を申し立てるに等しいものであった。

安芸は、両後見人からの返答を待った。

「田村殿、返事はどうしたものかな」

仙臺藩上屋敷に隣接する伊達兵部邸に、二人の後見人が会していた。

「う〜む、何せ、奉行たちが匙を投げるほどのことであるから、難しい」

「いや、奉行衆は、決着済みの一点張りで、涌谷殿を納得させるだけの知恵を持ち合わせていないのだ、それは原田に聞いても明らかである」

「かと言って儂らにあるかと問われれば、あいにく思い当たらぬ」

「いっそのこと、検分をやり直してはどうであろうか」

「されば、今度は登米方が納得せんだろう、登米方が同じように訴えを起こしたら、それこそ泥仕合となる恐れがある」

「登米の式部殿が亡くなっても訴えを続ける涌谷殿は、よくよくのお人ではあるよ」

「それはそれとて、涌谷殿が名を挙げてまで非難している検分役人たちは、確か原田の党であると聞き及ぶが」右京が急に背筋を伸ばして、兵部を見詰めた。

「さて、そうであったかな、江戸の御用が多くて御国のことにはとんと気が回らん」

右京に突かれた兵部は、目を逸らして誤魔化した。

兵部は、原田一党の頂点には自分がいることを、右京が承知の上の言葉だと思った。

右京の一言が、二人の間に気まずさを醸し、長時間続いた相談は、これといった解決策も見出せないまま終わった。

両後見人は相談の上返答するとのことだったが、その後二人が相談した形跡は無く、時は過ぎるばかりであった。

　業を煮やした安芸は、五月・六月・八月、そして九月と重ねて返答を催促した。

九月の催促では、自分が求めているのは谷地裁定の見直しではなく、検分役人の依怙贔屓による不正であると、改めて書き送った。

安芸が執拗に訴える真の目的は、谷地紛争の解決を求めながら、実は検分役人の不正を糺すことにあった。

件の役人どもは皆、兵部の贔屓によって昇進した出頭人であり、兵部の権力を笠に着て跋扈することに我慢がならなかったのであった。

安芸の訴えは、ここではじめて核心に迫ってきた
「恐れながら、その役、お受け出来兼ねまする」

「何故だ、奉行の其方が受けられないとなれば、誰が受けるというのだ」

上屋敷において、兵部と右京からの命令を聞いた奉行の古内志摩が、二人の前に這い蹲ってその命令を強く辞退した。

これより先、安芸からの口上之覚に対する返答に窮した右京は、幕府申次衆の一人、島田利木にたびたび相談していた。

島田は申次衆三人から安芸に書状を出して、堪忍するよう説得してみようと協力を申し出ていた。

兵部と右京は、その使者を志摩に命じる積もりであった。

だが志摩は、自分は適任ではないと固辞した。

――涌谷様は、検分役人たちの落ち度が儂ら奉行の指図の所為だと言い出すかもしれない。

志摩は、安芸に対面することを恐れた。

事実、検分役人たちは、細かい指図を柴田外記と古内志摩から受けていた。

外記と志摩は、遠田・桃生両郡百姓の言い分が食い違っている時は、三分の一と三分の二の分配を元にしっかりやればよいと指示していた。

この指示に従って、安芸が自分の領地であると主張していた、例の名鰭沼（なびれぬま）も半分に分割された。

検分役人たちは、こうした奉行の指示内容について、寛文十年二月十日に奉行衆から相違ないとの一札を取っていた。

この時期は、安芸からの口上書が奉行衆に示され、谷地分けの不正が糾弾されそうな気配が濃くなってきた時期と重なる。

即ち、今村善太夫ら検分役人は、すべて奉行衆の指示どおりに谷地分けしただけであるという確認を取って、自らの防衛体制を図ったのであった。

『この度の件、万一幕府の審問などということになったら、善太夫らはすべて我らの指示の元でやったと言うに違いない、このままだと我らに不正の疑いが掛けられる、由々しき事態になった、あの一札を取られたのは迂闊であった』

江戸詰の志摩は国許の柴田外記に悲痛な文面の書状を送った。

また、右京に宛てた書状には――

『自分たちは谷地の現場も確とは分からないので、役人たちの申し立てを信じて了解しただけであり、名鰭沼の二分割も最初に言い出したのは役人たちである、もしお疑いならば善太夫が先に言い出した書状を証拠として提出する用意がある』などと言い訳めいたことをしきりに述べていた。

安芸の出方次第では、奉行衆、特に外記と志摩の責任を問われるのは必至な状況になりつつあった。

その重大さに気付いた志摩の焦りと苦悩は大きかった。

志摩の必死の固辞によって、申次衆の書状は江戸詰の若年寄兼評定役の茂庭主水姓元が国許に持参することになった。


仙臺に下った主水は、片倉小十郎景長を伴って、安芸のもとに書状を届けた。

書状は、藩主綱基が成長するまで訴訟は遠慮せよ、との内容であった。

「江戸の田村様も、今村善太夫らの処罰はまた機会があることだろうから、今回は堪忍なさるようにと、お伝え申し上げろとのことにございます」

申次衆の書状も右京の説得も、兎に角今回だけは我慢しろというものだった。

「誰も彼もが堪忍しろの一点張りではないか、儂は谷地の配分が少ないからと訴えているのではない、不正な谷地検分を行った役人共の処罰を言っているのだ、これに限らず渡辺・今村・横山らの一党は奸曲の者共であることは家中皆の知るところ、これ以上彼奴らの専横を許せば御国は程なく滅亡の危機に瀕するだろう」

安芸は申次衆らの説得には納得せず、主水・小十郎を待たせて、申次衆への返書を用意した。

それには、書状で失礼ならば、自ら江戸に上って申し上げたいともあった。

「恐れながらこの書状、お受けするわけには参りませぬ」

返書の中身を知った二人は、受け取りを拒んだ。

「うむ、致し方ない、ならば儂が直接届けよう」

余程興奮したのであろうか、矢庭に立ち上がった安芸は、家来に旅支度の命令を告げた。

慌てた二人は、やむなく返書を預かることにした。

しかし二人は、返書の中身が申次衆に対し、非礼と取られないかを案じて、要旨だけの覚書として伝えるにとどめた。


季節は弥生、春風を背に受けて甲斐が江戸に上って来た。

藩主綱基に謁見し、兵部と右京に挨拶し終わって旅装を解いた甲斐は、久し振りに側室お節の酌で酒を楽しんだ。

「よい節となったな、この前、海を見たいと言っていたな、行ってみるか」

「まあ、覚えていてくれましたのか、とっくに忘れていたのかと思っていました」

甲斐はにじり寄って酌をするお節の肩を抱き寄せた。

匂い袋なのか、芳しい香りが甲斐の鼻を擽(くすぐ)った。

「務めが忙しいのはお前も知っておろう」

甲斐はお節のふっくらとした頬を指で突いた。

「嬉しいこと、今夜は早く寝て明日は早くに出掛けましょう」

「空模様はどうかな」

「お役目はよろしいのですか」

「うむ、二、三日休むと言っておいた」

甲斐にとって自身に覆い被さる不気味な圧力に押し潰されそうな日々が続いていた。

甲斐は逃げたかった、忘れたかったのだ。

翌日、家老の惣左衛門らに留守を預け、供侍一人を伴って二人は出かけた。

私的な外出であっても供を伴わなければならなかった。

甲斐の姿は無紋の着流し、お節は袷（あわせ）に肩掛けの時服であった。

女連れの道行でも、小半刻もあれば江戸湾に至る。

屋敷を後にした三人は東海道を横切り、紀伊家の蔵屋敷を通り過ぎて間もなく海を見た。

「まあ奇麗、海を見るのは何年振りかしら」

「お前の国も海が近かったな」

二人はしばらく光る海の景色に見入られたように佇んだ。

お節の故郷は日本海に面した小藩、越後の村上で、お節は越後上布を商う商家の娘であった。

「旦那様、富士の御山が見えますよ」

お節の声に目を転じた甲斐は、雪を頂いた富士の霊峰を遥かに仰ぎ、胸一杯に息を吸い込んだ。

――まるで心身共に洗われるようだ、これまでのことを皆流してしまいたい、この女と何処か遠くへ行ってしまおうか、出来るなら、出来ることなら。

「江戸の海は静かですね」

お節の言葉に、甲斐は我に返った。

「村上の海はどうなのだ」

「あちらの海は外海なので荒いですが、それはそれで趣があって良いものですよ、それに冬はお酒や食べ物が一段と美味しくなります」

「酒か、越後は酒も米も美味いなあ、また送るように言ってくれ、お前と一緒に村上に行ってみたいものだが」

「あら、そうしましょうか、私も長く帰っていませんので」

甲斐はこの情景を青年の頃の思い出に重ね合わせていた、許婚(いいなづけ)の律とのあの日々を。

二人は尚も足を伸ばした。

周りに人がいないことを良いことに、お節は甲斐の手を握って歩いた。

こんな時は、女のほうが大胆になるのであった。

海辺に沿って北に向かい、浜御殿を通って尾張と広島の蔵屋敷を過ぎると小田原町に入る。

西本願寺に参詣した二人は参道脇の茶店に寄って一息入れた。

「武家地と違ってたいそう賑やかですこと」

「あの大火の復興も進んで人が増えた」

江戸は今や京、大阪を凌ぐ大都会の様相を見せていた。

二人が屋敷に帰ったのは日も西に傾く時刻であった。

この夜、二人は床を共にした。

「今日は楽しゅうございました」

すがり寄るお節の洗い髪の香りが甲斐の欲情をそそった。

「うむ、また行こうな」

生返事の甲斐の手がお節の暖かい身体を弄った。

雪国の女の肌は雪のごとく白く、艶かしかった。

甲斐は吸い付くようなこの肌に惚れた。

「旦那様・・」

「節・・」

二人の脳裏にはもう何も存在しなかった。

灯の無い部屋の障子が月の光を受けてぼんやりと白かった。

（四）上訴

伊達安芸の動きはその後も精力的に続けられた。

仙臺に下向中の幕府国目付、内藤新五郎正俊（ないとうしんごろうまさとし）・牧野数馬成喬（まきのかずましげつね）への接触を試みた。

寛文十年十一月七日、安芸は大手門前の国目付屋敷に家来を遣わして書状を渡そうとしたが、不審に思った馳走人(ちそうにん)の松坂甚左衛門と多谷市左衛門はこの書状を抑えて、奉行の柴田外記と古内志摩に届け出た。

両奉行と茂庭主水・片倉小十郎らは相談の上、安芸に送り返したが、十三日に安芸から抗議の書状と共に、国目付宛の書状も再度送られてきた。

「涌谷様の執念は並々ならぬものがあります」

「両後見役様の説得はおろか、申次衆の説得までも聞かぬとは、よくよくのこと」

「うむ、もはや止めることは叶わぬだろうな」

「しかし、御目付様に届ければ、即ち幕府に達することになり、藩の内々で解決しようとしたことが、御上を煩わせることになり兼ねぬ」

「その場合、今村や横山らの処分に止まらず、涌谷様にも何かしらのお咎めがあるかもしれぬ」

「やはり、御目付衆には届けぬほうが良いのだろうか」

「いや、涌谷様の決意は固い、無理に抑えようとすれば、何を仕出かすか分からん」

「それに、涌谷様の訴えは、単に谷地配分の不満に止まらず、兵部様配下の奸臣共が政治をほしいままにしていることを憂いているのだ」

「彼奴らを排除するには、良い機会が到来したということだ」

両奉行と主水・小十郎に出入司も加え、長時間に亘った相談の結果、安芸の書状はさきに主水と小十郎によって押さえられていた申次衆への返書と共に国目付衆に提出された。

そして十五日、両目付は『陸奥守様のために宜しきように思案されたい』という、比較的手短な返書を安芸に送った。

目付衆に通すことによって安芸の強い執念は、藩内の押さえ込みを超えて、ついに幕府側に届いた。

「四人の検分役人を寺に押し込めて謹慎させろ」

「いや、それでは済まん、彼らに不正があったならば、もっと重い処分にすべきだ」

「綱基様が家督相続なされてから早十年余り、乱れた政治を正すには良い機会が到来したのかも知れんぞ」

自らの処分も覚悟して申し立てる安芸の姿は、金兵衛や善大夫らの追落としを願っていた者たちに勇気を与え、藩内の空気は徐々に変わりはじめた。

国目付の送った返書や、藩内の空気の変化を読み取った安芸は、自信を持って次のような書面を提出した。

『後見人伊達兵部宗勝は藩祖政宗公の末子であるために、これまで明らかには申し上げなかったが、事ここに至っては藩の浮沈にかかわるので、やむを得ず申し上げる。兵部は当代陸奥守が御幼少なるを良いことに政治を私し、渡辺金兵衛義俊や今村善大夫安長らの悪人を重用して奉行たちを退けるので、四民ともに安堵することがない。悪人どもが兵部を助成して、三人の奉行を夫々分けへだてして召し使っている。兵部に諫言した里見十左衛門重勝を憎んでその没後に跡式を認めなかった。また、忠義の志深い伊東釆女重門や伊東七十郎重孝を重罪に処した。これに限らず当代になってからは、譜代歴々の者たちが毎年多数処罪されているが、これは渡辺・今村などの悪人が兵部に取り入っているからである。伊達家存亡の今、兵部の心を改め家中が安堵できるよう、兵部に注意をして下さるようお願いしたい』

十一月二十日、両目付は、この書面を受理するという返事を涌谷に送った。

安芸は当初の谷地問題を超えて、遂に伊達兵部の悪政を告発したのであった。

この告発は、今まで家中の誰もが行えなかった勇断であった。

この告発状に対して、江戸の申次衆三人に相談するという返書が、国目付から安芸に届いた。

返書の内容に喜んだ安芸は、仙臺の国目付宿所を訪ねて、厚く礼を尽くした。

十二月一日、さきに届けられた安芸の口上之覚書は老中にも達したが、もっと詳しい内容を知りたいので、安芸の返書を大至急持参するようにとの指示が、申次衆から茂庭主水と片倉小十郎のもとに届いた。

これに勢いを得た安芸は、主水に対して、さきに託した申次衆宛の訴状を早く江戸に届けるように強く催促した。

訴状を保留していた主水は、申次からの指示を受けて、これを持って江戸に上った。

そして、十二月二十三日、この訴状を見た申次衆は『来年二月下旬、上着候様に、其元御発足、然るべく候』との召喚状を出した。

召喚状は使者によって寛文十年十二月晦日に涌谷に届けられたが、これには谷地の検分役人も召喚したと書き添えられていた。

　年が明けて寛文十一年正月、江戸の伊達兵部邸では、兵部と甲斐が神妙な面持ちで向き合っていた。

「年明け早々、大変なことになってしまった」

ぶ厚い綿入れを着て、火鉢に縋った兵部が不機嫌そうに呟いた。

国許の寒さに比べれば少しは暖かいとは言え、老いの身には寒さは堪えた。

「涌谷様は、我らが何度も説得したにも拘らず、事もあろうに上訴するとは」

冬の時服で着膨れした甲斐も、出された熱燗の酒で寒さを凌いでいた。

「今思えば、今村や横山らに一言、言っておくのだったな」

「何をでございますか」

「うむ、涌谷は気難しい上に欲の深い人物だから、検分はよくよく気をつけるようにとな」

「それは、某からも言っておきましたが、まさかこのような事になるとは」

「彼らは奉行の言うことを聞かなかったということか、貴公ら奉行衆の体たらくが招いた結果ではないのか」兵部は、自ら三人の奉行たちを分け隔てしておきながら、その奉行たちを非難した。

「検分が始まった時には、某は江戸へ上っており、差配は柴田と古内が致したはず」

甲斐は、柴田外記と古内志摩に責任を擦り付けるような言い訳をした。

「その二人も、体よく丸め込まれて、今頃になって慌てているらしいが、里見や伊東の件もあって渡辺・今村らは涌谷を憎んでおったからな、それに登米の式部殿を恐れて、桃生方に多く配分してしまったのであろうよ」

「何しろ三代様の兄上で『頭ヲ上ル者一人モナシ』とまで言われた御方ですから」

「過ぎたことは仕方がない、それよりも訴えの中身を急いで探らなければならぬ」

燗酒を飲み込んだ兵部は、眉間に皺を寄せて唸った。

「国許から帰った主水に聞きましたが、自分は書状を届けるだけの役目で、その中身までは知るはずもないとのことでありました」

「検分役人の不正を訴えるだけにしては、大袈裟過ぎるとは思わんか」

「如何にも、役人どもの処分ならば、藩に任せるはずと思いますが」

「涌谷は、前々から儂らの遣り口が気に入らぬようであった、今回の谷地の件を引き合いにして、儂らの失脚を画策しているに違いない、何とか手を打たねばならん」

酒が入って上気した兵部は、顔を赤くして尚も続けた。

「そもそも、涌谷と登米の谷地騒動などはどうでもよいのだ、儂にとっての一番の課題は、御家の財政を立て直し借財を解消することだ、そのためには従来のやりかたを変えねば事は進まないのだ、綱基様が見事成人し、儂ら後見人の役割が終わるまでには借財を奇麗に無くさなければならん、それが後見人としての務めなのだ」

兵部の藩政に関する考えは、甲斐は以前から何度も聞いていた。

前藩主綱宗から亀千代の代にかけての仙臺藩は江戸参勤に加え、明暦大火の復興のための幕府課役や江戸城小石川堀普請課役等々の負担によって深刻な財政難に直面していた。

兵部はこの財政難を打開するために奉行奥山大学を用いて藩の独占的な買米制を布き、領内の米や大豆などを藩が直接全面的に掌握しようとした。

また、新田開発を奨励し、治水・灌漑の整備にも力をそそいだ。

その効があって、一時的ではあったが借財は減少した。

だがしかし、事を急ぐあまり、その後の兵部の政治は奉行衆をさしおいて、小姓頭渡辺金兵衛、目付今村善太夫、出入司鴇田次右衛門らの側近を用いて次第に独裁色を強めていった。

異例の出世を遂げた兵部贔屓の出頭人たちは大いに威勢を振るい、しばしば分を弁(わきま)えぬ所業をして家中を混乱と不安に陥れた。

その出頭人たちの上には形だけの奉行、甲斐がいた。

ここ十年あまりで百二十人以上が切腹や斬罪以下の重罪に処せられたが、中でも勘定方、金山方、金奉行、納戸役、金銀渡役、台所役などの財政経済を司る譜代歴々の役目の者の多くが、進退召放となった。

家中から「悪政」と呼ばれた刑罰主義と極端な側近政治に対する反発が、一門伊達安芸による上訴となって、今、老中審問の俎上に載せられようとしていた。

　二人は、その後も安芸の出府に備えた善後策を練った。

話し合いが終わり甲斐が帰る頃には、既に短い日は暮れかかっていた。

さほどにも酔わない甲斐の脳裏には、これから何が起きるのか、どう対処したら良いのか、との思いが駆け巡り、麻布屋敷の役宅に着いたのにも気付かないほどであった。

「殿、涌谷様が出府なさるとのことは、まことで御座いますか」

「うむ、そのようだ」家老堀内惣左衛門の問いに、甲斐は面倒くさそうに答えた。

「御一門が出府なさるとはよくよくの事と思われますが」

甲斐は惣左衛門には答えず、口を噤んで天井を見詰め、何か思案の体であった。

「涌谷様は、谷地配分の不正に関わった役人どもの処分を訴えるばかりでは無さそうだとか」

甲斐は尚も無言のままだった。

「その役人どもの上に立ち、使うのが奉行の務めというもの、殿の務めでございますぞ」

やおら立ち上がった甲斐は、惣左衛門に背を向けて部屋を歩き回った。

「殿、某は兵部様には近付かぬようにと、何度も申し上げて参りました」

「もう聞き飽きた、下がれ」

普段、温厚な甲斐にしては珍しく、扇子で自らの太腿を叩いて怒りを表した。

「いや下がりませぬ、殿の身を思って御諫めしているのでございます、役人どもが処罪されれば、その上役である奉行衆はもっと重い罪に問われますぞ」

「だから何だと言うのだ、儂は何も悪いことはしておらぬぞ」

「処罪になれば原田家はどうなります、船岡には居られぬかも知れませんぞ」

「えーい、くどいは、下がれと言ったら下がれっ」

「何卒、お聞き下さい・・」

「うるさい、お前の顔など見たくもない、国に帰って謹慎しておれ」

尚も食い下がる惣左衛門の肩に、甲斐の扇子が打ち下ろされた。

甲斐は足音荒々しく部屋を出て行った。

惣左衛門は甲斐の足音が消えても、平伏したまましばらくは動かなかった。

——殿はあの頃からまるで人が変わってしまった。

奉行への出世を焦った甲斐が、伊達兵部に多額の賂（まいない）を渡していたことを、惣左衛門は知っていた。

甲斐の能力を低く見ていた兵部は、当初甲斐を奉行の候補には挙げていなかったが、賂を受け取ってからは一転して甲斐を奉行に推挙した。

それ以来甲斐は、兵部の威光を笠に着た出頭人の一味と見なされるようになった。

生来凡庸な甲斐は、直参大名として藩主の後見人を任じる兵部の権力に縋（すが）った。

兵部一党の急激な台頭により、家中の結束は次第に乱れ始めた。

その現状を憂いて、兵部・甲斐の勢力に抗う者達も現れ、遂には藩内が二つに割れる事態になった。

反兵部勢力の先頭にたったのが、一門伊達安芸宗重であった。

安芸が、兵部政権糾弾の上訴を決行したことに賛同する者が次第に増え始めた。

惣左衛門は事あるごとに、甲斐を諌めた。

それが伊達家譜代の宿老、原田家を守るための使命と心得ていた。

その三日後、度重なる諫言も遂には聞き入れられず、惣左衛門は失意のうちに国許船岡に下った。

寛文十一年一月のことであった。

(五) 伊達安芸の出府

寛文十一年一月、後見人田村隠岐守宗良の邸。

田村右京は前年十二月に隠岐守に転任していた。

麻布の仙台藩上屋敷を挟んで、伊達兵部邸と田村隠岐守邸が隣接していた。

「殿、ご気分は如何にございますか」

先ほどから家老の北郷隼人が風邪気味の隠岐を見舞っていた。

「相変わらずじゃ、正月を祝う気にもならぬわ」

綿入れに包(くる)まった隠岐の顔色は冴えなかった。

「ご用向きは我らが承りますれば、殿にはゆっくりとお休み下され」

「うむ、そうしたいところじゃが、安芸殿の上訴が通ったとなれば、そうもしていられぬ」

「来月には涌谷様が上府なさることが決まったようでございます」

「訴えは谷地問題だけでは収まらぬ、兵部や甲斐一派の糾弾が安芸殿の狙いじゃ」

「兵部様の糾弾となれば、殿にも類が及ぶとも限りませんが」

「いや、儂は兵部とは当初から組しておらぬ、その心配は無用じゃ」

同じく藩主後見役でありながら、隠岐と兵部とは初めから相容れぬ仲であった。

「ところで隼人、お主は政宗公の法度というものを知っておるか」

「はあ、存じませんが、それはどのようなものですか」

「確か寛永の禁令の中にあったと記憶しているが、家中の者が断りなく勝手に江戸や京都に上訴してはならぬというものじゃ」

寛永三年、仙台藩の初代伊達政宗は――

『仙臺の奉行衆や番頭衆に申し聞こえずに江戸・京都へ訴訟につき罷上がること』を禁止していた。

既に時効とは言え、安芸の上訴は政宗の法度や万治の誓約の精神に背反することになる。

「一門にありながら、安芸殿がそれを知らぬわけもあるまいに」

話を続けた隠岐は何度か咳き込んだ。

「殿は涌谷様の上訴のこと、心配なされておるのですか」

「うむ、政宗公が心配したように、上訴は大きな危険をはらんでおる、まかり間違えれば伊達六十万石に瑕がつくこともあろう」

しかし、今度の安芸の上訴は既に申次衆から老中に達し、召喚の期日まで決まっていることを考えると、隠岐の心配は当たらぬと思われた。

「ところで、某のところにこのような手紙が届きました」

隼人は、懐から一通の書状を出して隠岐に手渡した。

「綱基様が若年なのを良いことに、良からぬことを吹き込むとは呆れた奴だ」

手紙を一読した隠岐は、溜息を漏らして言った。

その手紙は、藩主綱基が懐守（だきもり）の富田二左衛門氏紹（とみたにざえもんうじつぐ）に「安芸殿は大して欲の深い人」と言ったということを聞いた出入司の田村図書顕住（たむらずしょあきずみ）からのものであった。

伊達兵部が十三歳の藩主綱基に対し、伊達安芸は自己の利害打算が強い人物だという悪口を吹き込んだというのであった。

図書は書状で、兵部自身の悪事が元で家中が安堵しないのに、藩主まで悪事に誘い込もうとする兵部の遣り方を嘆いていた。

兵部が安芸に対して強い不快感を抱いている証拠とも取れることであった。

重ねて図書は、渡辺金兵衛から話を聞いた原田甲斐が、自分を大悪人呼ばわりしているとも書き添えてあった。

「家中が互いに悪口を言い合っているようでは、まともな政治などあろう筈がない、先君隠居以来、御国はおかしくなってしまった、安芸殿の上訴にどのような効き目があるか知れんが、一縷（いちる）の望みを掛けるしかあるまい」

以前より体調が優れぬ隠岐は、後見役としての務めを十分に果たせぬままに来たことを恥じると共に、同じ後見役の兵部の専横政治をとめられなかったことへの後悔の念に駆られていた。

その頃国許仙臺でも、さまざまな動きが急速に展開し始めていた。

国目付と面談した安芸はその後、仙臺に居た一門衆に挨拶廻りをして上訴の意図を説明していた。

また、安芸の妹を介して遠い姻戚関係にあった幕府旗本松平隼人正忠久が幕府の重鎮保科正之に安芸の上訴の一件を話したところ、以前より兵部の行跡の悪さを知っていた保科は「兵部は大老酒井雅楽頭の縁者だが、安芸は遠慮なく全てを申し立てるがよい」とまで語った。

前年の十二月には、安芸は宇和島藩主の伊達宗利にも使者を遣わしていた。

こうして安芸はあらゆる手段を講じて、兵部に対する包囲網を形成しつつあった。

いよいよ江戸への出立を数日後にひかえた寛文十一年一月二十九日、安芸は歴代の菩提寺である涌谷円同寺の住職石水に願って法名を与えられた。

法名は見龍院徳翁収沢居士、安芸のまさに決死の覚悟のほどが窺われた。

二月二日、伊達安芸は持病に悩む五十七歳の老体をおして、涌谷を出立した。

随行した家来は、亘理蔵人・村田勘右衛門以下二五〇名を超え、その人数は安芸の家来の三分の一にも及んだ。

堂々たる行列は、安芸の一歩も引かぬ気概の表れと見えた。

その日、安芸の長男兵庫宗元と次男黒木中務宗信は、亘理蔵人らに次のような連署状を与えた。

※『このたびの江戸登りは、殿様（綱基）の御ためを第一に考えてのことであるから、その点は万事遠慮されぬように申し上げよ。江戸屋敷方でかねて親しい人びとにも書ものなどをあまりに見せなさら

ぬように申し上げよ。江戸で奉行衆に細かな指図を一々うけないように申し上げよ。安芸の了簡が悪くなったばあい、強く諫めること。たとい立腹して処罰されようとも、いまこそ忠義をつくすべきときである。道中、江戸滞在中とも、簡略にしないように申し上げよ。めでたく帰還の上は、たくさんに借金をしても、少しもさしつかえない。めでたくことがすみ、万一御国（仙台藩）の政治に加わるように幕府から仰せわたされても、つよく辞退さるよう申しあげよ』

涌谷伊達家の留守を預かった兄弟が、老体をおして上京する父親を補佐するよう家来たちに強く命じた。

出立の朝、春未だ浅い北国は冷たい雨が降り、涌谷篦岳山は靄に煙って見えなかった。

蓑笠を着けた行列は黙々と在郷屋敷の門を出た。

総出で見送る家来の中に、谷地検分の際に今村や横山ら検分役人に騙されて、絵図面にうっかり判形してしまった須田伊兵衛がいた。

責任を問われて謹慎を言い渡されていた伊兵衛は、半年前に赦免されていた。

切腹も覚悟していた伊兵衛は、安芸の寛大な処分に心から感謝していた。

門前や道々には百姓・領民の多くが雨にうたれながら地に伏して行列を見送った。

それは、七、八十年前には見られたであろう、戦場に赴く者たちを見送る光景を思いおこさせた。

奥州街道を行く二五〇人余の行列は、至るところで人々の注目を浴びた。

「御老中、時節柄、大げさな行列は外聞に触れ、公方様の知るところとなれば一大事、一部を引き返させては如何かと存じますが」

行列の報に驚いた兵部・隠岐の両後見人は、老中稲葉美濃守に伺いをたてた。

「藩主のための言上で江戸に上るのであるから、身分相応である」

美濃守は安芸の出府には好意的であった。

こうして二月十三日、安芸の一行は江戸に入ることができた。


一方、幕府からの召喚を受けて柴田外記は安芸よりも早く、一月二十五日に仙臺を発っていた。

外記は原田甲斐と共に、審問を受ける対象となっていた。

外記は江戸への同行を願った子息の柴田中務宗意（しばたなかつかさむねもと）を制し、旅の途中柴田郡槻木宿から書状を送って後事を託した。

書状は、藩主綱基の養育や御国の政治のありよう、役人の心構えなどが述べられており、決死の覚悟のほどが滲み出ている、正に遺書ともとれる文面であった。

外記は以前に甲斐や兵部の反対によって、未だに決着をみていない奉行誓詞の件や、兵部の悪政も証言するつもりであった。

明らかに、甲斐や兵部の追い落としを決意しており、安芸方として積極的に行動した。

「奉行柴田外記朝意、なにさま老齢につき審問に耐えられるか不安でありますれば、同役の古内志摩義如も江戸に上らせたく存じ、御願いに罷り越しました」

外記からの要望を受けた隠岐は、志摩も審問に加えるように幕府に伺いをたて願いは容れられた。

外記を心配した志摩からも、是非自分も召喚するように幕府に掛け合ってほしいと、既に隠岐に願いが出されていた。

（六）審問

寛文十一年二月十三日、安芸の一行は麻布屋敷に入った。

安芸は早速上屋敷の藩主綱基に謁見を希望したが、伊達兵部や原田甲斐らによって抑えられたばかりか、屋敷からの自由な外出と人の出入りまでも禁止され、まるで囚人のような扱いを受けた。

この頃江戸の伊達家中は、兵部や甲斐、小姓頭の渡辺金兵衛らによってかためられ、安芸の立場は苦しいものであった。

しかしこのような状況は、老中稲葉美濃守の指示によって、間もなく自由となった。

安芸は、毒殺を強く警戒した。

屋敷内の食事では、家来が入念に毒見をしてから、はじめて箸をつけた。

安芸は国許の子息兵庫と頻繁に手紙をやり取りしていたが、二月十四日の手紙の終わりには、田村隠岐も食事に警戒をしていると次のように言っていた。

「隠岐殿は近頃病気と称して、綱基様の御屋敷には伺候しない。御用で御出での時にはお茶も飲まず、食事の出る場には姿を現さないと聞く」

膳番衆と藩医の山下玄察、金兵衛らが密かに毒を盛るかもしれないことを警戒してのことであった。

安芸は前年以来、幕府への訴えと並行して各方面への運動を開始していた。

前年の十一月頃には、安芸が派遣した円同寺の住職石水が江戸に上り、老中板倉内膳正重矩（いたくらないぜんのかみしげのり）に運動をしていた。石水は、もともと幕府旗本の家の生まれで、内膳正とは知り合いであった。

また、一門の伊達左兵衛定規が隠岐に宛てた書状によれば、安芸が何事も藩主綱基様の御為と申し上げたことに仙臺家中の皆が褒めていると書かれていた。

国許仙臺では、安芸を支持する者たちが少なくなかった。

事実、兵部一党の秕政を訴えたのは、安芸一人ではなかった。

嘗て、奉行の座を追われた奥山大学常辰は、幕府国目付に領内の政治の不正を訴えていたし、屋代五郎左衛門・木幡源七郎・早川八左衛門・飯淵三郎右衛門・大河内三郎右衛門などの中級藩士らが、江戸に帰る国目付に連署の訴状を提出していた。

かくして、兵部・甲斐・金兵衛の党と、これに対する隠岐・安芸・外記・図書らの派との矛盾対立は、ここに至って最大となった。

また、隠岐も「甲斐は、つねづね問題の多い人物で、このたびのことについても、方々取り繕っているとの風聞があります」と稲葉美濃守に言って甲斐を非難していた。

これに対し、美濃守は「甲斐の申し分には油断ができないとのこと、もっともである。自分などもまったく合点がまいらぬ」と返していた。

安芸の各方面に亘る運動は、江戸に上った後も積極的に行われた。

安芸は、子息兵庫が注意したように簡略にはせず、多額の費用をかけた。

こうして、事態は少しずつ安芸に有利になっていった。

そして二月十六日、いよいよ幕府方の取調べが始まった。

まず老中審問の前段として、中次衆による予審があった。

中次の大井新右衛門の邸に呼び出された安芸は、島田出雲守・妻木彦右衛門を加えた三人から事情聴取を受け、藩政に関する口上書を老中に提出するよう命じられた。

同じ日の夜には、今村善太夫・横山弥次右衛門ら四人の谷地検分役人も呼び出された。

安芸の上訴の噂は、この頃すでに江戸市中でも話題となっていた。

「愛宕下の伊達さんに、なにやら騒ぎがあるらしいぞ」

「へえ～、伊達さんは確か十年ほど前に、殿様のご乱行とかで揉めたと聞いたけど、今度はなんの騒ぎだい」

「なんでも田んぼの境争いとかで、お家騒動にまでなってるってえ噂だぜ」

「江戸の米は、仙臺の米が多いとか言うから、藩にとっては一大事てえ訳か」

市民の話題は、役人の処分が流罪か逼塞か、はたまた身代没収か切腹か、安芸は処分されるのか、奉行衆や後見人はどうなるなど、持ちきりであった。

伊達家は十年前の一件に続いて、またしても江戸中の関心の的となっていた。

二月二十七日、安芸は指示に従って老中への覚書『口上之覚』を中次衆に提出した。

審問の席上、新右衛門から検分役人が作成した絵図が提示され、誤りがないかと訊ねられた。

「その絵図は甚だしく相違しております、前々から拙者に含むところがある検分役人どもが、勝手に境目の線引きをしたものにございます」と、安芸は述べただけで、あえて谷地問題には深入りせず、覚書を老中に提出するよう強く要請した。

三人の申次衆は、一旦、安芸を別室に下がらせて覚書について協議した。

覚書を一読した新右衛門はこれを抑えようとしたが、出雲守は「藩主の御為」という、安芸の覚書をも上申すべきだと反論した。

申次衆の間でも多少の対立が見られたのだった。

結局出雲守の意見が通って、安芸は改めて老中への文書を提出することになった。

新右衛門は兵部方を贔屓し、出雲守は安芸に好意を持っていた。

その翌日の二十八日『口上之覚』は申次衆から大老酒井雅楽頭・老中稲葉美濃守・土屋但馬守・板倉内膳正に提出された。

八ヶ条からなるこの覚書は、伊達兵部宗勝が里見十左衛門重勝の諫言を逆恨みして、その死後は跡式を認めなかったこと。

悪人渡辺金兵衛・今村善太夫をもちいて、柴田外記・古内志摩・原田甲斐、三人の奉行のうちを分け隔てし、谷地紛争の検使の不正に対する訴えを抑えようとしたこと。

伊東一族の処刑のほか、小梁川市左衛門の逼塞や茂庭大蔵と山崎平太左衛門の処分、そして石田将監と長沼善兵衛の処分のこと。

兵部が奉行を分け隔てするので、奉行が一致するように起請文を作ろうとしたところ、私心のある者がこれに同意しなかったこと。

政宗・忠宗の二代の治世下四十三年間に、知行百貫文以上の者が処罪されたのは五、六人に過ぎなかったのに、当陸奥守になってからの十年余りの間に、百貫文以上六、七人、そのほか譜代歴々で役目のある者で百人以上の者が斬罪や切腹以下の刑に処せられたこと。という内容であった。

覚書の最後には「治世が正しく行われ、家中が安堵できるように願いをもって申し上げる」と結ばれていた。訴訟は、谷地配分の問題から一転して、兵部らによる仙臺藩の警察政治など藩政全般へと拡大した。


安芸のこの訴えに基づき、三月四日に月番老中の板倉内膳正の屋敷において、土屋但馬守同座のもと、さきに提出された覚書について尋ねられた。

人払いをされたこの場で、安芸は年来の考えを十分に申し述べた上で、さきの『口上之覚』を更に詳細に記した『口談覚書』なる書状も重ねて提出した。

その末尾には百二十人にのぼる『仙臺罪人之書付』―當陸奥守代十ヶ年餘之内罪ニ申付候者、拙者承及候分―が付されていた。

また安芸は、原田甲斐が兵部と申し合わせて「不義」をしていると言上し、兵部与党としての甲斐も槍玉にあげた。

安芸にとって何よりも心強かったのは、二人の老中から「陸奥守へ忠義」に感じ入ると褒められたことであった。

安芸は国許に送った書状の中で「本望の至」と述べて、喜びの思いを表していた。

二人の老中も城中で「安芸ほどの侍は、世に有るまじ」と褒めていた。

老中たちは既に早くから、仙臺藩における治世の乱れを知っていた。

　三月七日には、同じく板倉邸で内膳正・但馬守による、柴田外記と原田甲斐に対する審問が行われた。外記と甲斐は別々に取り調べを受け、先ず外記が両老中から質問された。

「安芸殿の覚書にある奉行誓詞とはどのようなもので、そこに至る経緯を聞きたい」

「小姓頭の渡辺や目付の今村らが兵部様に重用されて実権を握り、原田殿や評定役の津田等々と結んで一味となし、藩政を我が物にしていることを憂慮した古内殿が四年ほど前に奉行同士が隔心なく談合し、また御用の秘密を他に洩らさぬことなど五カ条について誓約をしようと提案しましたが、以前には賛成していた筈の原田殿が後になって連判に応じなかったために、未だ実現しないままでございます」

「原田はなぜ反対したのか」

「その内容が細か過ぎると言っており、特に、奉行同士は親疎を分けず腹蔵なく談合すべしとの文や、他人を誹謗せず、同役と相談すべしという文、果ては月番の奉行が諸役人から上申を受けるようにという文の削除を求めてきました。只今申し上げたことは、藩政を預かる奉行としては当たり前のことと存じますが、原田殿はそれを不要なものと心得ているとは、全く合点がいかぬことでございます」

外記は、甲斐の言動を取り上げることで、兵部一党が藩政の体制を壊している現状を明らかにしようと尚も話し続けた。

「兵部様は原田殿の主張する三ヶ条のほうが良いとの意見でありましたが、田村様は五ヶ条が良いと主張しまして、結局は兵部様が折れて、五ヶ条の誓詞を提出させるということで意見が一致いたしました」

「ならば、それで良いのではないのか」但馬守が、外記に質した。

「それにも関わらず、今に至っても原田殿は判を押しませぬ」

甲斐が連判に応じないのは、甲斐の一派が日常的に行っていた行動を抑えられる事への危惧を抱いているのではないかとか、誓詞のねらいが甲斐自身に向けられたものだとの認識を持って抵抗しているのではないかと、外記は推測を交えながらも語った。

外記への質問は誓詞以外の問題にも及んだが、興奮のあまりか、肩で息する老体を案じた両老中は質問を切り上げた。

控えの間に審問を待っていた甲斐は、落ち着かない様子であった。

――何を聞かれるのか、外記は何を言ったのだ、涌谷が上訴するとは思いも寄らぬこと、訴えはどこまでのものなのか・・

「御老中がお呼びで御座る、御案内仕る」

様々な思案が巡り混乱した頭脳の内で、懸命に審問の想定問答を試みていた甲斐の耳には、内膳正の近習の声は届かなかった。

「原田様、御立ち下され」

近習に促されて慌てて立ち上がった甲斐の足元が思わずふらついた。

「この度の伊達安芸宗重の訴状によれば、仙臺の政治が乱れており家中が安堵出来ず、陸奥守様の御為にならぬので、政治が正しくなるようにと願い出ておるが、其許はどう思っておるか」

内膳正は、顔を上げた甲斐にすぐさま質問を投げかけた。

「藩主後見人お二人による藩政は、滞りなく執り行われていると存じます」

「う〜ん、そうかの、ならば何故にこのような訴えが出されたのか」

「拙者には思い当たる節がございません」

「訴えによれば、序列の慣わしを超えて異例の出世をした小姓頭や目付などが蔓延(はびこ)り、藩政が乱れていると聞くが、そのようなことは無いと言うのか」

「その時は多少の混乱が有ったかもしれませぬが、今は落ち着いているものと存じます」

甲斐の答えに、両老中は顔を見合わせた。

「そのような人事は、誰の元で行われたのか」

「後見人、兵部様の指示に従いました」

「兵部殿の人事は、依怙贔屓によって決めているとあるが、それについてはどうか」

「そのようなことは無いと存じますが」

老中の指摘が甲斐の胸に刺さり、動悸が速まった。

「贔屓によって抜擢された者たちが、其許ら奉行を超えた振る舞いをしており、奉行がそれを抑えられぬとは、奉行の立場は無いではないのか」

内膳正の詰問に続いて、但馬守も甲斐に迫った。

「国目付饗応の際に目付が席次を決め、奉行がそれを黙認したために騒動となり、それが元で伊東一族が断絶したというではないか」

「あれは、伊東采女重門と七十郎重孝が、兵部様の命を狙った廉(かど)で、処罰されたものでございます」

「その他にも、わずか十年余りの間に、重罪を受けた者が百数十人に及ぶと安芸殿の書状にあるが、何故こんなに多いのだ」

「兵部様は、藩の財政の立て直しを急がれたために、勘定方や金山役などの財政に関わる者が入れ替えられたに過ぎません」

何の根拠もない言い訳を弄した甲斐の言葉は震えた。

「兵部殿は、三人の奉行を分け隔てしており、中でも其許を贔屓していると聞くが如何か」

「滅相もない、奉行三人が力を合わせております」

「そうかの、柴田の話では、其許は奉行誓詞に判を押さないというではないか」

矛盾点を突かれた甲斐は、急に狼狽の体を見せて、言葉に詰まった。

両老中の甲斐に対する詰問は、次第に甲斐を追い詰めていった。

甲斐の豊かな体躯が、次第に震え始めたのを見た両老中は互いに頷きあって審問を切り上げた。

「二人の言い分はまったく違うではござらんか」

「然様、柴田は陸奥守のため、原田は兵部のためと、幾度も言っておる」

「同役同士の、言い分がこうも違うとは」

「定めし仙臺が揺れるのは、当たり前のことですなあ」

「ところで審問の対象者が一対一では、どちらの言い分が正しいか、判断し兼ねますな、もう一人の奉行・・何と申したか」

「確か、古内志摩とか・・」

「そうそう、古内を急ぎ呼ぶことに致そう」

両老中は、もう一人の奉行、古内志摩を召喚することにした。

審問を終わった外記は、品川屋敷に隠居している前藩主伊達綱宗の家老後藤大隈近康や田村隠岐の家老北郷隼人・平田八兵衛に宛てて書状を書き送った。

それによれば、審問の席上、老中から伊達家は末代まで恙無しとの言葉があり、後見人や家臣はもとより、綱基への処分は無いという心証を得た、というものであった。

この報を受けた仙臺の藩内は安堵と歓喜に包まれた。

（七）窮地

三月七日の審問の後、甲斐の役宅では毎日のように寄り合いがあった。

甲斐の外に、義弟の若年寄津田玄蕃景康・小姓頭渡辺金兵衛義俊・目付今村善太夫安長らが昼夜を分かたずに相談し、三月十一日に連判の覚書を申次衆に提出して老中への取次ぎを依頼した。

しかし、覚書が封印されていたために、申次の大井新右衛門は、中身が分からぬものは取り次げぬ、と言って受け取りを拒否した。

大井新右衛門の冷ややかな態度に落胆した甲斐は、今度は十四日に聞番（ききばん）の福田五郎左衛門を遣わして老中板倉内膳正重矩に覚書を提出した。

しかし、一旦は受け取った板倉内膳正は、直ぐに甲斐を自邸に呼んで返却した。

老中衆の心証は、既に安芸と外記に大きく傾いていた。

　その日板倉邸から帰った甲斐は、きわめて不機嫌であった。

「殿は、すこぶる機嫌が悪うございます」

「うむ、審問が上手くいかなかったのであろうか」

「それに、近頃の殿は、めっきり憔悴のご様子だが大丈夫であろうか」

「こんな時に、ご家老が居ればなあ」

原田家の家老堀内惣左衛門は、甲斐の機嫌を損ねて国許に下っていた。

甲斐は着替えを済ますと側室のお節に「出掛ける」と言い残し、制止する近侍や門番を恫喝して、一人夜更けの街に消えた。

仙臺藩の門限は、他藩に比べ厳しいものであった。

甲斐は暗い下町をしばらく歩き、やがて小さな飲み屋の裏手に回った。

裏口の障子戸をそっと叩くと、中で人が動く気配があった。

「誰だい」

「儂だ、開けてくれ」

突支棒（つっかいぼう）を外す音がして戸が開き、夜着を羽織った女が顔を出した。

「あら、殿様、こんな時刻にどうしました」

女の声に返事もせずに、甲斐は中に入ろうとした。

「痛っ」何事にも慎重な甲斐にしては珍しく、低い戸口に頭をぶつけた。

甲斐は身の丈豊かな男であった。

「今、灯を点けますから」女は台所で火種を探した。

「酒をくれぬか、冷でよい」

女は、直ぐにと言って酒の支度をしながらも甲斐の様子を窺った。

やっと点った灯火が甲斐の後姿を浮き上がらせた。

「しばらくお見えにならないので心配してたんだよ」

酒を運んできた女は、そう言いながら甲斐の額の傷を心配した。

「何かと煩わしいことが多くて忙しい」

甲斐は、女の酌を待たずに、手酌で数杯飲み干した。

「オカツ、お前は寂しくないのか」

甲斐は、頻繁に通い続けたこの飲み屋の女、オカツがある意味の独り身だと知っていた。

「何がですか」

「女一人で心細くはないのか」

「そりゃまあ、そうでしょうが・・」オカツは言葉を濁した。

オカツの亭主は、博打にのめり込んだ挙句に、喧嘩沙汰を起こして入牢していた。

「亭主が何時帰って来るかも分からないのであろう」

「あんな奴、帰って来ないほうが良いんですよ、殿様、私にも下さいな」

捨て鉢に言ったオカツは、甲斐に酒をねだった。

「それを良いことに言い寄る者もいるのではないか」

「居るもんですか、こんな婆さんに」

口元を曲げて小さく笑ったオカツは、体を捩って膝をくずした。

大きく乱れた裾から、むっちりとした白い脚が露骨に見えた。

甲斐は、それが女の誘いの合図だと勝手に思った。

「女手で店をやっていくのは大変だろう」

「あいつが帰らない内に、ここを畳んで何処かへ行きたいんだけど、先立つものがねえ」

「儂と一緒に田舎に行くか」

冗談めいた甲斐の言葉に、オカツは笑いながら杯を返した。

「お屋敷をお留守にしてもよろしいので」

「今夜はここに泊めてくれ」

「あら困った、布団は一枚しか無いんですよ」

「構わん、抱き合って寝るのも良かろう、女と寝るのは久し振りだ」

偽りを言った甲斐にはお節という側室がいた。

「私は郷の奥様の身代わりですか」

上目使いに甲斐を見詰めるオカツの頬は桜色に染まって、半開きの唇が濡れていた。

もう三十に近いと見えるオカツであったが、年増女の妖艶な色気が匂った。

——こいつも、男を待っていたのか、自分は何人目の相手なのだ。

積もり積もった鬱憤を晴らすには、酔って抱いて頭の中を空っぽにするしかなかった。

やがてオカツを引き寄せた甲斐の手が、オカツの胸元に入った。

微かな声をあげて身を捩ったオカツの脚が膳を蹴って毀れた酒が畳に滲みた。

オカツを愛撫する甲斐は、妻の律や側室のお節の面影を消そうとした。

煙をあげて燃えていた魚油が切れたのか、灯火が静かに消えた。

月のない夜は更け、風に転がる落ち葉の乾いた音だけが寂しかった。

「殿様、起きてくださいな」甲斐は、オカツの声に起こされた。

乱れた髪を直しもしないオカツが、甲斐の寝ぼけ顔を覗き込んだ。

「この辺は朝が早いんですよ、誰かに見られちゃまずいよ」

オカツに急かされて甲斐は、急いで身支度を整えた。

「面倒をかけた」

「出るところを人に見られないようにね」

オカツはそっと開けた障子戸から首を出して、通りの左右を見回した。

たった一度とは言え、情を交わした女にしては味気ない別れであった。

甲斐は後ろめたさにも似た気持ちを引き摺って、髪を撫でながら歩いた。

下町の朝は早い、仕事に出掛ける職人風の亭主に、井戸端で洗い物をする女房たちが大きな声をかけ、子どもたちは喚声をあげながら、細い路地を駆け回る。

——彼らは何と活気に満ち溢れていることだ、彼らの逞しさが有ってこそ世の中は動いているのだ、
それに比べて武家なんていうものは何もしていないのと同じではないか、民・百姓の生み出した物の上前をはねて生きているに過ぎない、もはや武家など無用な存在ではないのか。

人々の動きを見ていた甲斐の脳裏に、国許の家族の顔が浮かんだ。

第五章　騒動の顛末

（一）刃傷

寛文十一年三月二十一日、古内志摩が幕府の召喚を受けて江戸に上ってきた。志摩は時を置かず、その日の夜に外記と打ち合わせをして、翌日の二十二日に板倉邸で内膳正と但馬守の審問を受けた。

審問は外記が受けた内容とほぼ同じであったが、志摩は外記の答えに間違いないと証言した。

三月二十六日、申次衆を通じて、伊達安芸宗重・柴田外記朝意・原田甲斐宗輔・古内志摩義如の四人に対し、明日二十七日の四つ半時に老中板倉内膳正の邸に出頭せよとの指示があった。

甲斐はその晩、一睡も出来ずに二十七日の朝を迎えた。

一晩中思案に暮れた甲斐の顔色は冴えず、窪んだ目の下には微かに隈が見えた。

それでも軽く朝餉をとり身支度を整えた甲斐は、義弟津田玄蕃景康と剣持新五左衛門武伴の親族と聞番福田五郎左衛門らの家来を前にして、出立にあたっての言葉を述べた。

「これより板倉邸に参る、審問が無事に終わるように祈ってくれ、後のことを頼む」

言葉はこれだけであった。

家来たちの見送りを受けた甲斐は、五郎左衛門の案内で板倉邸に向った。

江戸城大手門近くの板倉邸まではおよそ三十二丁、半時足らずの距離であった。

「今朝の殿のご様子は一段と憔悴したようにお見受けしましたが、大丈夫でありましょうか」

「うむ、心労が重なったのであろうが、それにしても先ほどの言葉、後を頼むとは何とも気になる」

「まるで、死出の旅にでも逝かれるような」

「これっ、縁起でもないことを申すな」

後にして思えば、出立の朝の甲斐の言葉は、家臣たちの聞いた最後の言葉となった。

主を見送った家来たちは、一様に不安を胸に朝餉を食した。

板倉邸に着いた甲斐は、内膳正に直々に申し上げたいことがあると面会を求めたが、老中列座の下で聴取するとされ、面会は許されなかった。

座敷に通された甲斐は、ただ悄然と座しているしかなかった。

開け放たれた障子戸の向こうには、手入れの行き届いた庭が見えた。

今にも雨が落ちて来そうな暗い庭に、桃の花びらが音もなく散った。

その景色も甲斐の目には入らなかった。

四つ半には未だ早い、甲斐は腕を組んで暫し瞑目した。

――今、自分が窮地に立たされているのは、他でもない自身の優柔不断と日和見の勢だ、兵部や金兵衛らに加担したのが間違いだった。だが奉行になるには兵部に従うしかなかった。その奉行でありながら、金兵衛らを抑えられなかった。彼らがやったことの全責任を負わなければならないのは奉行として当然のこと、今それを問われているのだ。審問の結果次第では、きっと相応の処分を受けるに違いない。あの谷地騒動さえなければ、こんなことにはならなかったはず。自分は谷地の検分には関与していない、目付らのしたことだ。あの涌谷め、あいつさえいなければ・・涌谷め、安芸め・・

「殿、殿、起きてくだされ、そろそろ人の動きがあるようです」

甲斐は、五郎左衛門の声に、はっと目を覚ました。

不覚にも脇息（きょうそく）にもたれ掛かって、眠ってしまったことに気がついた。

「これは迂闊であった、誰にも見られなかったであろうな」

甲斐は、よだれで濡れた口元を懐紙で拭きながら、照れ隠しのように俯いた。

何刻ほど経ったのであろうか、さっきまで暗かった庭に雲間から薄い光が差していた。

広い邸のあちこちから人の行き交う音や、話し声が聞こえてきた。

　その頃朝餉をとった伊達安芸は、一堂に揃った家来たちに酒盃を与え、すぐに帰るから何の心配もいらぬと言い残して、聞番（公儀使）蜂屋六左衛門可広（はちやろくざえもんよしひろ）の案内で板倉邸に赴いた。

定刻四つ半前には、伊達安芸・柴田外記・原田甲斐・古内志摩の四人が揃った。

四人は夫々の座敷に通された。

暫くして、老中一同は江戸城中より直接、大老酒井雅楽頭の邸に入られたので、そちらに移動するようにとの報せが入った。

酒井邸は江戸城大手門下馬札(げばさつ)近くにあり、そのため雅楽頭は『下馬将軍』とも呼ばれた。

酒井邸の大書院には、雅楽頭をはじめ、老中稲葉美濃守正則(いなばみののかみまさのり)・久世大和守広之(くぜやまとのかみひろゆき)・土屋但馬守数直(つちやたじまのかみかずなお)・板倉内膳正重矩(いたくらないぜんのかみしげのり)の全員が揃い、大目付の大岡佐渡守忠種(おおおかさどのかみただたね)、目付の宮崎助右衛門重景(みやざきすけえもんしげかげ)も列座して、まさに総評定の場であった。

審問は安芸から始まり、外記、甲斐、志摩と、一人ずつ順に呼び出された。

一度目の審問は、前月に行われた申次衆の尋問や、当月七日の内膳正と但馬守による詰問の中身を再確認するもので比較的短時間で終わった。

審問では、外記と志摩の答えは安芸の主張と一致したのに反し、甲斐は答えに窮する体であった。

伊東一族の処罰につながる国目付饗応の席次問題は、甲斐が直接関係した紛争であったし、奉行衆による誓詞も甲斐が同意しなかったために実現していなかった。

安芸の訴状にはこれらの問題も含まれていたから、兵部と同心した問題だけではなく、甲斐自身の責任を追及されたのは当然のことであった。

甲斐は自らの非を認めることが身の破滅に繋がることを恐れた。

甲斐は老中に十分な申し開きが出来なければならなかった。

しかし、確たる弁明の理由など有ろう筈もなく、甲斐は狼狽するばかりであった。

　少しの間をおいて二度目の審問が行われることになった。

安芸は甲斐の居る表座敷に同席することを嫌ったのか、障子の外の縁通り(えんどお)に控え、外記・甲斐・志摩は表座敷に控えた。

六左衛門が居たのは、これから一間隔(ひとま)てた使者之間であった。

二度目の審問を終えた外記と志摩は、貧乏揺すりを始めた甲斐を見て、思わず顔を見合わせた。

「原田殿、お通りくだされ」甲斐が呼び出された。

座敷を出ようとする甲斐を目で追った志摩は、甲斐の左手が脇差の鯉口を切ったようにも見えた。

甲斐の後姿が消えて直ぐに、縁通りの方から鋭い叫び声と悲鳴が聞こえた。

甲斐が、縁通りに座っていた安芸に突然斬りつけたのだった。

「おのれゆえに・・」と叫びながら、安芸の正面から左の首筋あたりを斬った。

不意をつかれた安芸は、あっと悲鳴を上げて右手で激痛のはしる傷口を押さえた。

傷口からは夥(おびただ)しい血飛沫(ちしぶき)が噴き出して障子を赤く染め、みるみるうちに縁に広がった。

安芸が脇差を抜こうとしたその時、甲斐の二太刀目が安芸の胸を刺し貫いた。

激痛に大きく口を開けた安芸は、両手で空を掴んで絶命した。

そこへ駆けつけた外記が、血刀をぶらさげて書院に向かおうとする甲斐の背後から一太刀浴びせたが、
甲斐は振り向いて外記の額を斬った。

返り血を浴びた甲斐の形相は、地獄の鬼となっていた。

尚も書院に入ろうとする甲斐と、止めようとする外記は激しく斬り結び、互いに傷を負った。

いち早く騒ぎに気付いた島田出雲守は老中たちを逃し、書院に入ろうとする甲斐と斬り合った。

「方々、書院で刃傷でござる、早く、早く・・」

志摩は、隣の使者之間を通り過ぎて広間に走り、控えていた雅楽頭の家来たちに急を知らせた。

使者之間に居た六左衛門も志摩と共に慌てて書院に走った。

そこには、よろめきながら嬌声を上げ、脇差を振り回している甲斐と、床に転がって苦しそうに息をする外記の姿があった。

六左衛門も甲斐と斬り合いとなり、組み留めて甲斐の脇腹を刺し討ち止めた。

この間に駆け付けた雅楽頭の取次石田弥右衛門と番頭太田伊兵衛は、ことを弁えずに慌てて甲斐ばかりか、誤って外記と六左衛門をも斬ってしまった。

甲斐と斬りあった時の外記の傷は、さほど深手ではなかったが、弥右衛門に斬られたのが六左衛門と共に致命傷となった。

大老邸で発生した史上稀に見る大事件では、安芸と甲斐が即死、重傷の外記は同夜のうちに絶命、六左衛門も翌日に息が絶えた。

安芸の遺体はこの日の夕方、家来の亘理蔵人や村田勘右衛門らに引きとられ、翌二十八日に芝高輪の東禅寺において荼毘(だび)に付された。

そして四月七日に百八十六人の家来と二人の藩臣に守られた安芸の遺骨は、浜街道を国許涌谷に向けて江戸を発った。

途中、沿道の諸大名は名代をもって焼香させたが、特に相馬藩は一行を丁重にもてなし、馬上五騎の家臣をもって護衛し、遺骨を駒ヶ嶺まで送らせた。

安芸の遺骨は十四日に仙臺に着き、翌日に涌谷の円同寺に入った。伊達安芸宗重　享年五十七。

二十八日の明け方に雅楽頭邸を出た外記の遺体は、一旦宇和島藩伊達遠江守邸に安置されたが、その後後見人の指図により安芸と同じく東禅寺で荼毘に付された。

四月四日、遺骨は家来と藩臣柴田文左衛門に守られて浜街道を下り仙臺に向かった。水戸を経て九十五里、八泊九日の道中であった。

仙臺に着いた遺骨は、その後国許の登米郡米谷に送られた。柴田外記朝意　享年六十三。

瀕死の重傷を負いながら、伊達家中の後事を気遣った外記をして、稲葉美濃守は「一生、忠義を貫いて終わった」と賞賛した。

十三歳の藩主綱基もまた、外記の死に落涙した。

深手を負った六左衛門は、その夜遠江守の邸に引き取られたが、翌二十八日の昼八つ時に果てた。蜂屋六左衛門可広　享年五十八。遺体は、浅草の慶印寺に葬られた。

六左衛門の父可長（よしなが）は伊達政宗に仕え、二百石を賜った。

六左衛門は仙臺藩の公儀使となり江戸屋敷に仕えて十四年、性格は潔白で正直、媚び諂（へつら）うことなく、好んで人に恵みを与え、一切吝嗇（りんしょく）の様子はなかった。

また、伊達兵部の権威に屈することもなかった。

一方、甲斐の遺体は申次大井新右衛門の指図を受けた剣持新五左衛門が引き取り、芝増上寺内の仙臺藩宿坊良源院の片隅に葬られた。享年五十三。

その戒名は剣樹宝光、罪人のため戒名は過去帳にはのせられず、碑を立てる人もいなかった。

（二）御宥免

事件はただちに将軍徳川家綱に言上された。

事もあろうに大老酒井邸で凶事が発生したとの噂は、瞬く間に江戸城中はもとより江戸市中にまで広まった。

「仙臺の伊達安芸とか言う人が公方様に何か訴えたと聞いてはいたが、まさか刃傷事が起きるとはなあ、こりゃ大変だ」

「これから仙臺はどうなることやら」

酒井邸の門前には大名や旗本から町人に至るまで群れをなした。

この時、雅楽守の子息河内守忠挙（かわちのかみただたか）や取次役の上田五太夫は相前後して、事件は安芸・外記と甲斐の私的な喧嘩で起きたことで、藩主綱基には存じ上げないことであると群集に向かって叫んだ。

これは伊達家に咎めがないようにという、雅楽守の思いが表された言葉だった。

後年、伊達家は雅楽頭の処置を徳とし、雅楽頭が失脚した後も様々な形で礼を尽くした。

　同じ三月二十七日、伊達兵部と田村隠岐は若年寄津田玄蕃に命じて、仙臺の留守居片倉小十郎、評定役茂庭主水・古内造酒祐に書を送り甲斐の刃傷のことを知らせて、安芸の在所涌谷と甲斐の在所船岡の者たちを静めることと、その他一門以下騒ぐことのないようにと伝えた。

それに続いて、その夜には兵部と隠岐は島田出雲守と大井新右衛門と共に、隠岐の邸で善後策を練った上で、翌二十八日、津田玄蕃を遠慮なく勤めさせること、但し綱基への出仕は遠慮させるという指示をした。

この時点では、両後見人は未だその職務を執っていたが、玄蕃らについてはほとんど処置はなされてはいなかった。この後、玄蕃の処分は「遠慮」では済まなくなった。

生き残った古内志摩の厳しい意見によるところが反映された結果であった。

「この凶事を知った仙臺は、さぞかし取り潰しを心配して混乱するであろう」

「何しろ仙臺は大藩ゆえ、騒ぎも大きくなるでありましょうなあ」

老中衆は事件後いち早く、仙臺藩の扱いについて協議を始めていた。

「それには心配ご無用でござる、お上には御宥免との御達しを頂いておる」

雅楽頭は、将軍家綱に事件を言上すると共に、伊達家の安泰をも願い出ていた。

家綱は、事件が伊達家臣同士の私闘が元で起こされたという雅楽頭の言上を受け、伊達家安堵と綱基にはお咎めはないとの思いを告げた。

既に事件当日の三月二十七日には藩主綱基に責任は及ばないとする老中の意向が示されていたが四月二日に改めて、気遣い無用とする老中の内意が示された。

あるいは御取潰しかと、危惧していた藩内は皆揃って安堵した。

それとは別に、伊達兵部と田村隠岐は伊達安芸の上訴と原田甲斐の刃傷事件の責任を問われることになった。

　事件から七日目の四月三日、兵部は立花左近将監鑑虎（たちばなさこんしょうげんあきとら）・大井新右衛門・妻木彦右衛門に伴われて、幕府評定所に呼び出され、大岡佐渡守忠種と寺社奉行戸田伊賀守からの申し渡しを受けた。

「藩主の後見を仰せつかれながら、奉行らと相談をして政治をとるべきところ、隠岐守との不和のために家中の扱いがよろしくなく、年々刑罰が多くて家中は安堵することがなかった。殊にこの度の甲斐の不届きは、両人の不注意のためである。また先代綱宗の有様を十分に知っておりながら、一層不届きである。よって松平土佐守へ御預けとする」という御沙汰であった。

隠岐もまた評定所に召喚されて、大岡佐渡守から「閉門」の申し渡しを受けた。

病気のためとは言え、兵部の悪政を止められなかった責任を問われた。

兵部の息子の東市正宗興（いちのかみむねおき）には、町奉行渡辺大隅守が屋敷まで出向いて、父に連座して豊前小倉藩主小笠原遠江守へ御預けを命じられた。

兵部の三万石の領地と家来は仙臺藩に返されることとなり、藩祖政宗の子である伊達兵部宗勝の家は廃絶された。

　四月六日、陸奥守綱基は江戸城に召され、白書院で大老・老中列座、大目付出席のもと、伊達兵部や田村隠岐及び東市正への申し渡しの覚書を渡され、更につぎのような申し渡しを受けた。

「陸奥守は、本来ならば領地を召し上げられるところであるが、未だ若年ゆえに藩政を両後見人と奉行たちに任せており、自分は存ぜぬことであるから特別に御許し下される」

こうして正式に「御有免」が言い渡されたことは、伊達家に対し特別の配慮がなされたのであった。

また、陸奥守は元服も済んでいるので、今後は後見人を置く必要はなく、諸事奉行と申し合わせ、もし差し支えることが生じたら、宇和島藩主の伊達遠江守宗利と親族の大名立花左近将監鑑虎に相談せよとの指示があった。

伊達六十二万石の安泰の報は、ただちに品川屋敷の綱宗と国許仙臺にも注進された。

四月十五日、この時五十一歳の兵部は、物頭五人、馬廻り二十人、医師、徒歩、足軽合わせて百七十八人の松平土佐守の家来に守られて江戸を発ち、大阪から海路土佐に着き、五月六日高知城下の小高坂に収容された。

それから八年後の延宝七年十二月五日にこの地で没した。五十九歳であった。

小笠原遠江守に預けられていた東市正も豊前小倉に送られ、この時二十三歳の彼は三十一年後の元禄十五年六月十日に五十四歳で死んだ。

東市正の妻姉小路大納言公景の四女で酒井雅楽頭の養女は、三人の子、千勝六歳、千之助四歳、右近二歳と共に仙臺に送られ、角田の一門石川民部に預けられたが、その後伊予吉田の伊達宮内少輔宗純のもとに送られた。吉田に侘住いすること十年、延宝九年八月十二日に他界した。

大老酒井雅楽頭との姻戚を通して、己の権威を強化しようとした伊達兵部の野望の犠牲となった。

仙臺藩の奉行三人のうち生き残ったのは古内志摩義如の一人だけだった。

その志摩は、老中の配慮で宇和島藩邸に移され、しばらく滞在するように命じられた。甲斐の一派がいる仙臺藩邸に戻って、身の危険にさらされることを恐れた。

志摩は、宇和島藩邸から各方面に書状をもって連絡したが、二十七日には仙臺藩邸にいる出入司田村図書顕住や小姓頭各務采女利稠に対して、原田甲斐の家来の取り締まりや、津田玄蕃と渡辺金兵衛を拘束し、監視を強めるよう求めた。

四月七日に伊達遠江守・立花左近将監および申次衆三人で行われた関係者の処分についての審議の席上内々に意見を聞かれた志摩は、悪の張本人として渡辺金兵衛・今村善太夫・横山弥次右衛門・佐藤正左衛門重信らをあげ、彼らを厳罰に処するべきと主張した。

津田玄蕃も同罪だが、祖父・父と奉行職を務めたので罪は少し軽くとした。

また密談に加わった福田五郎左衛門・田村内蔵助・吉田甚兵衛らは「相応の罪」など、この他にも四、五人の名をあげて、処罪に該当するとの意見を述べた。

志摩の意見の中で他の審議者が一様に驚いたのは、「原田甲斐の子ども一類は幕府の申しつけよりもひときわ重くする」という一言であった。

甲斐の凶行を目の当たりにした志摩の憎しみは、原田一類にまで及ぶものであった。

志摩のこの一言が、船岡原田家の悲劇を決定付けた。

この時すでに、仙臺の留守居役は、幕府申次衆と兵部・隠岐から、甲斐の子息四人を夫々親類筋に預けるよう命じられていたが、嫡子帯刀ら四人は船岡にたてこもって、出ようとしなかった。

兵部が江戸を発った前日の四月十四日には、七日の審議の結果を受けて、関係者の処分が決まった。老中の命により、津田玄蕃・福田五郎左衛門・田村内蔵助・剣持新五左衛門・吉田甚兵衛・吉田伊右衛門は仙臺に下して逼塞、渡辺金兵衛は詮議のために宇和島伊達家の分家伊予吉田藩主宮内少輔宗純にお預けとなった。

古内志摩が仙臺藩邸に戻ったのは、関係者の処分が出そろった四月十五日であった。

それから間をおいて八月二十七日には、渡辺金兵衛は伊予吉田に移し、今村善太夫・横山弥次右衛門は宇和島藩主伊達宗利へお預かりのうえ宇和島に移し、谷地問題に関係した志賀右衛門と浜田市郎兵衛は家禄没収の申し渡しがあった。

九月十三日、善太夫と弥次右衛門は宇和島に向った。

金兵衛もまた、この日に吉田の岩籠(いわろう)に送られるはずであったが、処分が決まった八月二十七日以来食を断ち、遂に九月二十六日に江戸で餓死した。

これによって、伊達兵部宗勝一派と目された者たちの処分はほぼ終わった。

伊達兵部を土佐に流した幕閣は、兵部の遺臣は仙臺藩が収容せよと命じた。

その命を受けて延宝年間、藩は兵部の遺臣を収容するために新名掛町を作り、城下東北端の御名掛組とは別に新名掛組を組織した。

「兄上、この書状は・・」

「うむ、父上の最期のお言葉になったということだな」

伊達安芸宗重の国許涌谷の留守を任されていた、嫡男兵庫宗元と次男黒木中務宗信に宛てた安芸からの手紙が届いたのは、寛文十一年四月三日のことであった。

安芸がこの手紙を出したのは三月二十六日、凶刃に倒れた前日だった。

皮肉にも、江戸で起きた凶事の急報が仙臺に届いた日よりも三日遅く、兄弟は既に父親の訃報を知っていた。

※『古内志摩も無事に審問が終わった。、近日中に裁決があるとのうわさがある。老中稲葉美濃守殿が四月一日に日光の参詣に出かけるので、その前になるか、でなければ五月まで延期だろうとのことだ。早く決着をつけたいものだ。一昨日、両後見をいっしょに板倉邸に召喚するという指令を、内膳正から甲斐がうけたまわって、田村隠岐守（右京）に伝達があった。隠岐は、外記・志摩がしらず甲斐だけがうけたまわった召喚指令には応じられないと、中次島田出雲守を通じてことわった。その後のことはまだわからぬ。委細は追って伝えるから、隠密にするように。そちらののりを出家衆に贈りたいので二、三十帖ほど送るように。わかめ・さんしょうのかわも少し送れ。そちらののりのようによいものは江戸にはない。気仙・元良のものはよい、との評判である。前にも言ってあるように、涌谷の城めぐりは垣・塀とも少しも手をいれたりせぬように』

判決の近い事を告げつつ、家を思う気持ちを認めたこの手紙は、安芸の絶筆となった。

その後、兵庫は家督を継ぎ、名を安芸宗元と改めた。

安芸宗重の死から八年経った延宝七年三月二十七日、その命日にあたって、藩主綱村（綱基）は故安芸の忠節を賞して『尽忠見龍院』の五文字を大書して安芸宗元に与え、故安芸の霊廟に掲げさせた。

重ねて、綱村は『兵部一類滅亡　治国之基　感悦コレニ過ギズ候』と宗元に書き送った。

仙臺藩主陸奥守綱村は、故伊達安芸宗重を忠臣として確認した。

そして伊達安芸が非業の最期を遂げてから二十七年後の元禄十一年、遠田郡涌谷の在郷屋敷は歓喜の声に溢れた。

この前年の元禄十年、幕府は諸国の大名に対し、新たな国絵図の提出を命じた。

仙臺藩は、正保の頃に書かれた国絵図の控えを持っていたはずであったが、早い時期に紛失していた。

伊達安芸と伊達式部との間に起きた谷地紛争の時には、絵図の所在は不明であった。

そのため仙臺藩は、幕府から『正保国絵図』を借用して、新たな絵図作成の参考にしようとした。

皮肉にも、借用した絵図によって谷地紛争の真相が明らかになった。

すなわち、絵図を見ると、遠田郡と桃生郡の境界線は、明らかに桃生郡の山際に引かれており、桃生郡に属する谷地は山沿いの部分だけで、谷地の中央にある名鰭沼・長沼・竿指沼・内沼などは、いずれも遠田郡の内であった。

谷地の郡境は、安芸宗重の主張したとおりだった。

この事実を知った宗重の嫡男安芸宗元は、この機をとらえて藩に上訴し、評定の結果、境界は『正保国絵図』のとおりに復することになった。

そして元禄十一年十一月に寛文九年の境塚を取り払い、新たな境塚を建てた。

「父上はこの絵図の控えがあることを覚えていたに違いない、そうでなければだ登米との争いの時に、あれほど頑なに訴えを起こされる筈はなかった」

安芸宗元は、亘理蔵人や村田勘右衛門らの家臣を前に述懐した。

「正保の絵図は、大殿様が二十歳の頃に作られたと聞きますが」

「仙臺にその控えさえ残っていたら、或いは騒動にならずに済んだかも知れません」

「そうだなあ、それを思うと何とも口惜しい限りだ」

一方、故伊達式部宗倫（だてしきぶむねとも）の養子伊達若狭村直（だてわかさむらなお）は、これでは父宗倫はまるで押領者となり、後世に悪名を残すこととなるとして不服を申し立てた。

これに対し藩主伊達綱村は「故宗重が一命を投げ打って忠義を尽くしたことによって伊達家の栄えがある、其許は儂の弟であるから我慢しろ」と言って若狭を説得した。

若狭は前藩主綱宗の第四子であったが、登米伊達家に入って式部の跡継ぎとなっていた。

承諾した若狭に、綱村は九一一石を加増して、登米伊達家を二万石とした。

第六章　遺された人々

（一）側女

甲斐には江戸で親しく付き合っていた木幡図書茲清（こはたずしょこれきよ）という若い藩士がいた。木幡氏の家格は召出、在所は賀美郡城生で、図書はこの時分、江戸番馬上の職にあった。藩の最高執行官の奉行と江戸番との身分差は大きかったが、不思議に気の会った二人は、江戸勤番の憂さを酒で晴らした。

図書は甲斐の物腰の柔らかさと、若い者にも気を遣った物言いが気に入っていたし、甲斐にとっては図書が国許の息子たちに見えた。

寛文十一年二月、二人は行きつけの料亭の一室で顔を合わせた。

その日は、甲斐が図書を誘っていた。

「今日は寒いのう」

「それでも梅が綻んで、国許より一月は早いですかな、あちらは相変わらず騒々しいようですが」

「国許ばかりではないぞ、此処も同じだ」

「これから、どうなるのでしょうか」

「まあ、成るようにしかならぬ、と言うことだろうよ」

甲斐は以前から、お役目のことになると何故か寡黙になった。

図書も、その辺りは敏感に察知して、あえて口にしなかった。

甲斐は、政争の渦の中に図書を巻き込みたくなかった。

「御奉行、今日はお顔の色が冴えませぬが、如何なさいました」

図書は、いつもと様子が違って酒が進まない甲斐を気遣った。

「うむ、ここ数日歯が痛んでな、ろくに飯も喰えぬ、まあ、歯の寿命は人の寿命の証というから、儂の寿命もそろそろということかな」

手のひらでこけた頬を撫でながら苦笑する甲斐の声は精彩を欠いていた。

——歯痛の所為ばかりでは無さそうだ、この頃の御奉行は一段と痩せた。さぞや審問のことで苦慮されているのだろう。

図書は、憔悴した甲斐の姿に何か不安なものを感じた。

やがて、甲斐は酌の女を下がらせて座り直し、真顔で図書を見詰めて言った。

「図書殿、其許(そこもと)に頼みがあるのだが」

「はあ、何でしょうか」甲斐の真顔におされた図書は、飲みかけた杯を膳に置いた。

「儂に側女(そばめ)がいるのは存知ておいでか」

「はい、存知ておりますが」

「儂に万一のことがあったなら、あれの面倒を見てくれぬだろうか」

「えっ、何と申されました」突然のことに、図書は呆気にとられた。

「あれの名は、お節という」

「いや、お待ち下され、一体どうしたことでございますか」

「うむ、其許も今の藩の実状は存知ておろう、そろそろ儂の命運も尽きたというもの、審問の結果次第ではこのまま奉行の地位には留まれまい、否、それどころかこの首も危うい」

甲斐は、自分の首を撫でて深く溜息をついた。

思いも掛けない甲斐の言葉に、図書は固唾を呑んだ。

「もはや側女など持てる身ではなかろう、それに、もう歳だしな」

深刻な空気をはぐらかすように甲斐は笑った。

「御奉行は、御幾つになられました」

「確か、数えで五十三かな」

「しかし御奉行、未だ審問の結果がどうなるか、分からないのでは」

「うむ、大方は察しがつくというもの」

江戸に上った伊達安芸が老中審問を前に、各方面に運動を展開していることを甲斐は知っていた。

次第に追い込まれていくのを感じた甲斐は、自分の身辺を整理しようとしていた。

「万が一にもそのようなことは起きぬとは存じますが、もしもの時には御奉行のお望みどおりに致しましょうが、どのようにすればよろしいのでしょう」

「其許の思うままになされ」

「ところで御奉行、その節という方は、どのような素性の方でありますか」

「越後村上の商人の娘でな、奉公に努めて武家の嫁としての作法は十分に身につけておる」

お節は役宅に女中として奉公していたが、やがて二人は男女の関係となりお節は側女となっていた。

才知と美貌を兼ね備えたお節に引かれた甲斐は、単身の寂しさを癒された。

「それではお節殿を離別して、村上に帰しては良いのではございませんか」

「それが出来ぬ訳があってのう」

「そうですか」図書は、それ以上穿鑿しようとはしなかった。

「お節が側室のまま儂が死ねば、お節もただでは済まぬかも知れん、それが心配でな」

「しかし御奉行、それは大袈裟に過ぎませんか、死ぬと決まった訳ではありますまい」

「いや、死んでからでは遅い、この願い聞いてくれ」

藩の最高執政官たる奉行が江戸番に両手をついて深く頭を下げた。

奉行が死をも覚悟しなければならぬほど仙臺藩の政情が切迫しているとは、一体何がどうなっているのか江戸番の図書には詳しくは知り得なかった。

しかし事情が何であれ、死をも覚悟した甲斐の願いを拒むことは出来なかった。

「お前のことは、図書殿に頼んである、とにかくこの邸から去ってくれ」

老中審問が間近に迫った日、甲斐は苦悩する胸の内をお節に告げた。

「審問とは一体どのような、旦那様が罰せられるのですか」

「いやそうではない、ただ御家の政を質されるだけのことだ、何も心配はいらん」

「ならば、何故私を図書殿に頼まれるのですか、まるで旦那様は帰って来ないようではありませんか」

「役目柄、邸内にお前を置いておく訳にはいかなくなっただけのこと」

「それは、離縁ということですか」

「そうではない、お前を離縁などするものか、役目が無事に済めばまた邸に呼び戻す」

「本当でございますね、きっと迎えに来てくださるのですね」

お節は甲斐の袖に縋って、念を押した。

「うむ、それまでは達者でおれよ、勤めに行く刻限だ、お役目が忙しいから暫くは戻らぬぞ」

身支度を整えた甲斐は、お節の手を払って玄関に出た。

お節が甲斐を見送ったのは、これが最後となった。

（二）芝　増上寺

甲斐からお節を託された木幡図書は一刻も早くお節の身を隠さなければならなかった。

図書は甲斐の下僕を使って、身柄を偽った上で湯島に一軒の町屋を探し当てた。

藩邸から距離をおいたその家は神田の大店の隠居が住んでいたという別邸で、通りからは人目につかない、正にお誂え向きの一軒家であった。

愛宕下の藩邸から北に凡そ一里半、歩いて半刻あまりの道程であった。

お節が引っ越してから一月ほど経った三月上旬、図書はお節を訪ねて湯島に向かった。

「どうやら片付いたようですな」

家に上がった図書は、箪笥やら調度やらが揃った部屋を見て納得したように頷いた。

「はい、どうにかこうにか、一段落といったところでしょうか」

お節も、ほっとしたような表情を見せて笑顔で答えた。

「どうぞこちらに」

お節が火鉢の側に座をすすめ、図書は帯から腰のものを抜いて座った。

未だ火の気が欲しい江戸の春であった。

台所ではお節と共に甲斐の邸から連れてきた与吉とお民夫婦が、新しく取り替えたらしい竃（へっつい）の座り具合を見るのに余念がない。

図書は与吉とお民に、お節の素性を誰にも口外してはならぬと厳しく言い付けておいた。

「ご不便なこともありましょうが、御辛抱下され」

「お屋敷暮らしに比べればずっと自由で、何か肩の荷が下りたような気がします」

「自分はお奉行から貴女様（あなたさま）のことを託されております、お困りのこと有らば何なりと」

「旦那様からは離縁などしないと言われておりますが」

「離縁などと言ってはいけません、お奉行はただ思い悩んでおられるだけなのです」

「何を悩んでいると言うのですか、旦那様は何も話してくれません」

「お奉行の話振りでは、審問の結果次第では奉行としての身分が危うくなるのではないかとのこと」

「えっ、それは何故に、旦那様が何か悪事を働いたのですか」

お民が茶を運んで来て、一寸の間会話が途切れた。

「図書殿、旦那様が今どのようなことになっているのか教えて下さい」

問われた図書は、一月前の甲斐との会話や、甲斐が老中審問に苦慮していることなどを話した。

図書の話を聞いたお節は、仙臺藩が大変なことになっていることを知った。

「御国は大丈夫なのでしょうか」お節は真剣な表情で図書を見詰めた。

「さて、自分には計り知れないことですが、とにかく心配なことです」

二人にとって深刻な話は一刻ほど続いたが、時間を気にした図書が腰を上げた。

別れの挨拶を交わした二人は、やがて衝撃の日を迎えようとは知る由もなかった。

三月二十七日、その衝撃的な事件が起きた。大老邸内で起きた刃傷沙汰の報は瞬く間に江戸市中に広がり、お節の耳にも達した。

お節は直ぐにでも藩邸に走ろうとしたが躊躇した。

――あの旦那様が刀を抜くなど有ろう筈がない、嘘だ、嘘に決まっている。

お節を図書に託した時点では、甲斐自身まさか安芸を斬るなどと画策していた訳ではなかった。

己に迫る大きな圧力を受けて危機意識が極度に高まり、度重なる心労と身体的衰弱が高じて遂に乱心した結果の出来事であった。

伊達兵部に追随して己の勢力を拡大しようとした甲斐は、渡辺金兵衛や今村善太夫らと共に出頭人と目され、反兵部勢力、とりわけ一門衆からの非難の的となっていた。

自分に対する非難が強まるにつれて、一時的には兵部から距離を置こうとした甲斐ではあったが、その意思を貫けなかった優柔不断と日和見は彼の弱さを表していた。

「お殿様が大変なことになっているようですが」

町中に広がった事件の噂を知ったお民と与吉が心配そうにお節の顔を覗き込んだ。

「与吉、直ぐに酒井様の御邸に行って様子を見て来ておくれ、お城の大手門近くだと聞いています、それから藩邸にも行って旦那様の様子を見てきておくれ、顔を見られないように気をつけて」

お節は言い付けをしぶった与吉に多額の駄賃を握らせた。

仕方がない与吉は、頬被りして裾を端折った姿で走り出て行った。

実は見に行きたかった与吉にとっては都合の良い使い走りだった。

暗くなってから帰って来た与吉の話では、大老邸には近付けず、遠巻きにした野次馬の話を聞いたところ、どうも原田とか言う仙台の者が邸内で刃傷に及び何人か死んだとか、そして仙臺藩邸では大勢の侍が忙しく出入りしており、町人などはとても近付けない状況だったということだった。

甲斐の生死のほどを知りたいお節は出るに出られず気が揉めたが、次の日には事件のあらましと甲斐の死を知った。

　事件から十九日経った四月十六日、図書がやっと顔を見せた。

「やっと藩邸を出ることが許されました、御国様は御公儀から御宥免を頂き皆安堵いたしました、また昨日は後見役の兵部様が土佐に向けて送られました」

「やはり旦那様は、亡くなられましたか」

お節にとっては藩や兵部などはどうでも良いこと、ただ甲斐の消息だけが気掛かりであった。

「ほとんど即死だったとか」

「亡骸は何処に」

「芝の増上寺に埋葬されたとか聞きますが」

「墓にお参りは叶いましょうか」

「いや、それはどうでしょう、何せお奉行は仙臺の名を貶めた悪人とされてしまいました、墓参りは憚られましょう、もし人目に触れでもしたら事でございます」

「乱心が故の刃傷とのことですが、余程思い悩んだ末のことだったのでしょう」

「当初は境界争いを訴えていた涌谷様が一転、後見様やお奉行の弾劾を訴えるものとなったことが、お奉行を悩ませたのでありましょう」

「お国許のご家族はどうなりましょうか」

この時国許では、既に甲斐の家族は身柄預かりとなっていた。

「今度来る時は貴女様のこれからをご相談いたしましょう」

再来を約した図書は、編笠を深く被って早足で湯島を後にした。

その七日後、図書は再び湯島を訪れた。

「図書殿、旦那様が亡くなられた今、私はもはや側室ではありません、普段のままでお話下さい」

お節は側室といえども奉行の妻女、図書はこれまでそれなりの対応を心がけてきた。

「貴女を此処に隠したのは幸いでした、此処は藩邸から遠く、気付く者はまず居ないでしょう」

「図書殿には何かとご迷惑をお掛けし、申し訳ありません」

「なんの此れしき、お奉行のため、否、節様のためならば厭わぬこと」

図書は以前から美しいお節を側室にしていた甲斐を羨ましく思っていた。

お節に恋心を抱いていた図書の胸の内が言葉となって表れた。

図書の気持ちを敏感に察したのだろうか、お節は目を伏せて軽く頭を下げた。

「これは旦那様が愛用していた物です、形見分けでもありますまいが図書殿に」

お節は傍らの小引き出しを開けて、何やらを図書に手渡した。

「あゝ、そうでしたなあ、お奉行は気に入っておられた」

図書が手にしたのは、甲斐が日頃愛用していた杯と煙管であった。

二人は、その物を見るにつけ甲斐を偲ぶのであった。

甲斐の四十九日に当たる日の朝、甲斐を偲ぶ気持が昂（たかぶ）ったお節は、与吉に町駕籠を呼ばせ、麻の頭巾で顔を隠して芝の増上寺に向かった。

寺の裏門近くに駕籠を着けさせたお節は、広い境内を歩いて仙臺藩の宿坊、良源院を探した。

そして坊の裏手の片隅に疎らに草の生えた土盛りを見つけた。

土盛りには墓標もなく、ただ名も知れぬ一本の若木が植えられているだけであった。

――旦那様は何も言わずに逝ってしまわれた、あゝ、これが一国の奉行であった人の墓とは、なんとお労(いたわ)しいことか、旦那様、私はこれからどうしたら良いのですか。

香を手向け、手を合わせて祈るお節の頬に涙が伝った。

ふと見ると土盛りの傍らにもう一本、背丈半分ほどの若木が立っていることに気がついた。

――これは樅の木か、確か旦那様は船岡の大きな樅の木の話をしていた、この木は誰が植えたのだろうか、原田家の者だろうか。

その誰かの心根を感じつつ、帰ろうとした時、背後に人の気配を感じて振り向いた。

「お参りですかな」

法衣に袈裟を着た僧が、微笑を浮かべて立っていた。

「はい、いえ、その・・」慌てたお節の返事は、返事になってはいなかった。

甲斐の墓参は咎めを受けるかも知れぬことは、図書からも言われていた。

しかし、僧はお節の墓参を咎めることもなく、土盛りに向かって経を唱え始めた。

「朝早くから御奇特なことでございます、定めし仏様も喜んでおられましょう、人は死ねば生前の善悪に関わらず誰もが仏になるものです」

「この木は何という木でございましょうか」気を取り戻したお節は僧に聞いた。

「あゝ、これですか、植木屋が栂(つが)の木とか言っておりましたが、トガとも言うらしく仏様にはお気の毒なことでございますな」

亡くなった者の墓に咎(とが)とも取れる木を植えるとは、甲斐を憎む者たちの所業であったのか。

だが不思議なことに、この木は程なくして枯れてしまった。

罪人として葬られた甲斐の戒名は過去帳に載せられなかった。

（三）樅の木

事件から十三年経った貞享元年、木幡図書茲清(こはたずしょこれきよ)は命によって姓を木幡から『北』と復姓し、北図書茲清と名乗った。

戦の世も終わって八十年余り、本来の姓を名乗ることを許されたのだった。

そして、江戸詰として長く忠勤を励んできた図書は、番頭に出世していた。

御役目を終えて帰宅した図書は、先ず薄暗い仏間に入り仏壇の前に座った。

灯を持った女が図書の後に続いて座った。

二人は蝋燭の灯に照らされた白木の位牌に香を手向けて手を合わせた。

仏壇には、甲斐の遺品の杯に注がれた酒が供えられた。

図書が仏間を出てから、女は位牌を白い布に包み、そっと仏壇の陰に隠した。

白木の位牌は誰にも見られてはならなかった。

「今日は、寺に行ったのか」未だ日が残る部屋で酒を飲んでいた図書が、側に座った女に聞いた。

「はい、参りました」

答えた女は、あのお節であった。

お節は十年住んだ湯島の家を引き払って、三年前に図書の邸に迎えられていた。

事件当時の江戸詰の多くは国許仙臺に戻ったり、既に故人となった者も多く、お節が甲斐の側室だったことに気付く者はほとんどいなかった。

しかし、お節を迎えた図書ではあったが、お節を正式な妻とすることは出来なかった。

結婚となれば必ず藩に届けなければならず、当然お節の素性を明らかにしなければならない。

二人の微妙な関係は十三年続いていた。

「儂も本当ならば参りたいところだが、いつ誰の目に触れるやも知れぬ故それは叶わぬ」

「それは承知致しております、ですからこうして私が代わって」

十三年の月日が経っても、甲斐の墓を尋ねる者は居なかった。

甲斐の遺品の杯を手の平に載せて図書が溜息をついた。

「それだけ皆は歳を取ったということですね」

二人の両親は既に亡く、お節が側室の頃から仕えていた与吉もお民ももういない。

「日に日に暖かくなって、良い季節となった」

「今は八重の桜が見頃、空は青く遠く、風が花の香りを運んで来ます」

甲斐の側室として屋敷奉公したお節は、お茶や歌の嗜みもあった。

お節を我が物にとの望みが叶った今、お節を頼むと言って死んで行った甲斐に対し、ある種の負い目を感じる図書であった。

「そろそろ村上から、やって来る頃だが」

お節の酌で酒を楽しむ図書は幸せを噛み締めていた。

「そうですね、待ち遠しいですこと」

お節の実家は越後の縮緬問屋で、江戸での商いのため年に何回か越後上布や縮(ちぢみ)を運んで来た。

家業を継いだお節の兄は、上京する度に図書の邸を訪ねて妹の安否を確かめた。

「旦那様、どうなさいました」お節は自分を見詰める図書の視線が眩しかった。

「お前は変わらずに美しいなあ」

「まあ、戯れを仰って」

滅多に言ったことのない図書の言葉にお節は頬を赤らめて俯いた。

「うむ、あとは子が欲しいなあ」

「それは私も・・」図書が投げかけた何気ない言葉に、お節は返事に困った。

女として、子の無い寂しさは尚更であった。

しかし不幸にして、二人の睦まじい暮らしはそう長くは続かなかった。

この年の冬、お節は風邪を拗らせた挙句、労咳に罹ってしまった。

容体は次第に悪化して、床につく日が多くなった。

そして加療・投薬のかいもなく、吐血したお節の身体は痩せ衰えていった。

そうしたある日、死期の近いことを悟ったのか、お節は図書に一つだけ願い事を打ち明けた。

「旦那様にはこの上なく好くしていただきました、何のお返しも出来ず申し訳ございません、最期に一つだけ私の願いをお聞きください」

微かな声で図書に語りかけるお節は、痩せた両手を口元に合わせた。

「願いとは何だ、申してみよ」図書は、お節の顔を覗き込むように聞いた。

「私が死んだら、原田の御殿様の墓に合葬してください、お願いします」

「なんとして、それはどういうことだ」

お節の意外な願い事を理解出来ない図書は、思わず問い詰めてしまった。

「私が死んだら旦那様はいずれ妻を迎えることでしょう、そのお方に私の存在を知られてはなりません、北家の墓に私が入ってはならないのです、仏壇に私の位牌が有ってはならないのです」

「お前はそこまで考えていたのか、お前を妻とすることが出来なかった儂を許せ」

お節の手を握った図書の目が潤んだ。

図書の顔を見て微かに微笑んだお節は、ほっと吐息して目を瞑った。

その両の目元からは、細い涙が流れ落ちた。

お節の手を握ったまま図書は思った。

——二人の男に愛されたお前は幸せ者だったな、御奉行のところに行ったらもっと可愛がって貰うが良い、儂も美しかったお前を忘れないぞ。

その五日の後、図書に看取られてお節は息を引き取った。

形ばかりの葬儀の後、図書はお節の願いを叶えるべく、増上寺の住職に打ち明けた。

「何卒この願い、お聞き届け下さりますようお願い申しあげます」

図書は住職に事の次第を仔細に語り、住職の諒解を求めた。

「故人の願いとあらば叶えてやるのが慈悲というものでありますが、墓標は建てられませんぞ」

住職は図書の願いを受け入れた上で『霊松院円Q樹光大姉』と『剣樹宝光』の二柱の位牌を密かに手渡した。

——どちらの位牌にも樹という文字がある、ああ、これか、お節が言っていたのはこの木か。

宿坊の片隅に、風に揺れる大人の背丈三倍ほどの樅の木が図書を見下ろしていた。

——そう言えば、御奉行も船岡の樅の木のことを言っていたことがあった。住職は御奉行とお節の仲を思って法名をお決めになったのか。

お節、享年三十五、図書と節の間には子は無かった。

（四）持佛堂

原田甲斐の刃傷事件に於ける、原田一族に対する処罪は過酷なものであった。

江戸からの報を受け、片平丁の原田屋敷の門は固く閉ざされた。

甲斐の息子四人については、幕府申次と兵部・隠岐両後見からの命により、夫々親類衆に預け置くことになったが、四人は甲斐の在所船岡に籠って出ようとしなかった。

四月二日、仙臺からの捕り手の一行が船岡に向かった。

一行は城下の原田屋敷に入ろうとしたが、屋敷は蛻（もぬけ）の殻（から）で、兄弟四人と家来達は城に籠っていた。

「幕府からの御達しである、甲斐が子息四人は仙臺に同道せよ」

捕り手は固く閉ざされた城門越しに呼ばわったが応答はなく、門の内は静まり返ったままだった。

捕り手は何度も呼び掛けたが、四人は一切応じようとしなかった。

業を煮やした捕り手は諦めて一旦仙臺に引き返した。


城中の大広間には甲斐の嫡子帯刀宗誠（たてわきむねもと）、次男飯坂仲次郎、三男平渡喜平次、四男剣持五郎兵衛の他、家老堀内惣左衛門・片倉隼人ら原田家の重臣たちが揃っていた。

一様に硬い表情を見せた一同は、身じろぎせずに座していた。

「兄上、呼び出しに応じなくてもよろしいのですか」

「命に背けば、罪に問われることになりませんか」

「どうせ抗っても敵わぬこと、おとなしく言うことを聞いては如何ですか」

弟たちが口々に質したが帯刀の顔は強張り、大きく見開いた目は宙をさ迷い、弟たちの問い掛けにも答を見出せなかった。

「若、殿が亡き今、若が原田の当主でありますぞ、しっかりなされ」

惣左衛門が帯刀を力付けた。

「皆の意見を聞こう」帯刀は、重臣一同に目をやった。

「恐れながら・・・」家老の片倉隼人が切り出した。

「此度の事件は、御家の存亡に関わる重大事、それだけ殿の犯した罪は大きいのでござる、さすれば原田一族郎党は皆厳罰を受け、御家は断絶となりましょう」

ここまで言った隼人は、少しの間をおいてから一同を見回して続けた。

「我ら家中、どうせ死ぬなら捕り手と一戦交えて華と散り、原田の意地を示そうではござらぬか」

思いも掛けぬ隼人の言葉に、驚いた一同は互いに顔を見合わせた。

「そうだ、それこそが武士の本分というもの」

数人の者が、立ち上がって隼人の意見に同意した。

これを皮切りに、賛同する者、反対する者の意見が飛び交い、広間は騒然となった。

「皆、静まれ」惣左衛門が立ち上がって一同を制した。

「御一同落ち着きなされ、あの温厚な殿様が事に及んだのには余程の訳があったに違いない、また、殿が先に脇差を抜いたかは判然としないなど、事の真相が明らかになって殿様の罪が軽くなるようならば、我らに対する仕置きも軽いものになるやも知れん、呉々も早まったことは慎むように」

一時は血気に逸った者たちは、惣左衛門の言葉を聞いて沈黙した。

「若のお考えは如何に」惣左衛門は向き直って、上座に座った帯刀の考えを促した。

「うむ、もう少し考えてみよう」帯刀は、力なく答えた。

未だ決断できない当主の答えに、一同は困惑し落胆した。

――これでは知行八千石の城主は務まらぬ、原田は終いか。

惣左衛門も隼人も胸の内で溜息をついた。

「合議はどうなりましたか」

仙臺の屋敷から追い出されて船岡に来ていた律が惣左衛門と対面した。

「一同は若の覚悟のほどを待っておりましたが、未だ無く・・」

惣左衛門は少し項垂(うなだ)れて答えた。

「そうですか、帯刀がそのようでは思い遣られますが、かと言って女の口出すことではありませんし」

「今、ご兄弟が思案中の御様子ですが」

「惣左(そうざ)殿も力になって下され」

力なく頼む律に、惣左衛門は頭を下げて言った。

「某(それがし)は、殿の御勘気を蒙(こうむ)って謹慎中の身でありますれば、口出すことは憚(はばか)られます」

「殿様がいない今は、謹慎も解けたことでしょう、遠慮は要りません」

「奥様にお許しを頂いたとでも申し上げましょうか、ところで、御母堂様がお見えになりませんが」

惣左衛門の問いに、律は俯いて小声になって言った。

「一日中持佛堂に籠ったままです」

律の姑（しゅうとめ）慶月院は、息子甲斐の事件を知って以来、持佛堂に引き籠っていた。

律が香華を手向けたのを見た慶月院は、それを投げ捨て踏み散らし「当国に二十代の宿老にありながら、不忠不義の大罪を犯して先祖の名を堕（おと）し、子孫を断絶せしめた者に何の供養などあろうか、何の嘆くことがあろうか、口惜しきこと」と叫び半狂乱の様であったと律は語った。

騒然とした一日も暮れて、残雪未だ残る蔵王が赤く染まって陽は落ちた。

（五）茂庭主水からの手紙

四月五日、未だ城に籠る原田兄弟に、仙臺から手紙が届いた。

帯刀の義兄、茂庭主水姓元からの手紙は――

『江戸からの御下命により原田兄弟を親類衆の上遠野掃部らに預け置かれることになった。この上あれこれ申され在所を立ち退かれなければ、御公儀に対しては勿論のこと、殿様に対しても不忠に思われ、尚更罪が重くなると考えると恐れ多いことだと思われる。早々に立ち退かれるのが宜しかろう。もとより我ら一同、其許らに落ち度はないと思っているし、事の成り行きが良い方に向かうようにと思っている。江戸からの処罰の報が軽いものであることを願うばかりである』というものであった。

藩の評定役という立場からの忠告であり、暗に帯刀の妻である妹の身を案じ、原田一族を思う気持が込められた手紙であった。

この手紙がこのあと行われた話し合いに影響した。

「茂庭殿からの手紙を何と見た」帯刀は三人の弟と二人の家老に聞いた。

「主水さまは、或いは罪が軽くて済むのではと言っておりますが、本当でしょうか」

弟たちは、手紙の内容を楽観的に見た。

「茂庭様の申されるように、このまま籠るのは不忠の誹りを受けましょう、下命に従って立ち退かれるのが宜しかろうと存じます」惣左衛門が帯刀に言った。

「うむ、義兄様のご忠告を聞かぬのは申し訳ないということだな」

帯刀は、心を動かされたような口振りであった。

「お待ちください、手紙には罪が免れるとは書いてありません、開城すれば捕縛され必ず重罪となるに違いありません」開城に傾きかけた雰囲気に、隼人が反対の姿勢を見せて言った。

「残された家族が罪に問われるとは合点がいきませぬ、身柄お預けとは余程のこと、定めし死罪になりましょう」話すにつれて隼人の顔が紅潮してきた。

「死罪となれば御家は断絶、我らは禄を失い路頭に迷います、ならばいっそ撃って出て殿の無念を晴らそうではありませんか」

「馬鹿な、家老ともあろう者が何を申す、頭を冷やせ」

惣左衛門が持った扇子で床を叩いて隼人を睨んだ。

「馬鹿とは何だ、だいたい御主は殿から謹慎を命じられた身ではないか、もはや家老にあらず、この場にいることさえ許されていない筈、口出し無用でござる」

以前から、二人の仲は決して良いものではなかった。

年下の隼人から目下呼ばわりされた惣左衛門であったが、そこは老練の賢さ、ぐっと堪えて言った。

「確かに儂は謹慎の身ではあったが、事は御家の存亡に関わる重大事、知らぬ振りをしている訳にはいかぬ、奥方様からも若君の力になってくれるようにと申し付かったばかりだ、このまま抗って日を置けば罪は大きくなるばかり、茂庭様の忠告を受け入れましょう」

「うむ、処分を受け入れるしかあるまい」惣左衛門の進言を聞いた帯刀は決心したように頷いた。

「拙者は飽くまでも不服でござる、御兄弟に何の罪があると言うのか」

言い捨てて広間を出て行く隼人を見て、隼人に従う者十数人が後を追った。

立ち上がって隼人らを呼び止めようとした惣左衛門は、がくりと肩を落として座り込んだ。

その後、律や辰も加えて立ち退きの相談が続けられたが、その最中に変事が起きた。

「大変です、城下に火の手が上がっております」

息急き切って駆けつけた門番が、広間の外から声を掛けた。

兄弟四人と惣左衛門は、揃って外に飛び出した。

山上の城から麓の様子が良く見えた。

「あれは確か片倉の屋敷ではないか、家に火をつけて一体何をしようというのだ」

七軒ほどの侍屋敷の一角に黒煙が上がり、松明を持った男たちが走り回っているのが見えた。

「隼人が一味を煽って抗っている、奴らを止めねば。皆の者、続けっ」

太刀を握って坂を駆け下りる帯刀に、三人の弟と多くの家臣たちが続いた。

「手に余れば、隼人を斬れ」

太刀を抜き放って叫ぶ帯刀の声に家臣らは一斉に抜刀し、隼人の一党と対峙した。

矢が飛び交い、激しい斬り合いが始まって間もなく、数発の銃声が城下に響いた。

その一発が隼人の右脚に当たった。

傷口を押さえて倒れた隼人の苦悶の姿を見た一党は、俄かに戦意を失い我先にと四散した。

多勢に無勢、勝敗は自ずと見えていた。原田家臣同士の斬り合いは、半刻も経たずに終わった。

傷を負った隼人は捕縛され牢に入れられた。

懸命の消火の甲斐あって、屋敷三軒ほどを焼いた火災は何とか鎮火した。

「兄上、どうにかこうにか消せましたな」

「ご苦労であった、怪我はないか」

「はい、我らは無事でありますが、手負いの者が何人か居ります」

「大事に至らずに済んだ、風が無かったのが幸いであった」

帯刀は、隼人の行動が在所立ち退きを拒否するものと見られることを恐れた。

――ご兄弟は、この後どうなるのだろうか、無事であれば良いが。神の御加護を祈るばかりだ。

久し振りに揃った兄弟を見ながら惣左衛門は、兄弟の幼い頃を思い出して胸を熱くした。

（六）身柄御預り

火事騒動があった日の夜、律と帯刀の妻、辰が語り合った。

「帯刀はどうしていますか」

「今日の騒ぎで疲れたと言って、旦那様も御兄弟も早くに寝たようです」

「子どもたちは寝たのですか」

「はい、乳母たちが寝かしつけております」

「それにしても大変な一日でした、片倉殿があのようなことを仕出かすとは」

「まるで戦のようだったと皆が言っておりましたが」

「この事が仙臺に聞こえねば良いが」

「義母（はは）さま、私たちはこれからどうなるのでしょうか」

辰は不安そうな目付きで律を見た。

「そうですね、私にも良く分かりませんが、殿様の仕出かしたことは藩を揺るがすような大事件だと聞きます、私たちも処分されることを覚悟しなければ」

その時襖が少し開いて、小さな娘が顔を出した。

「あら、お藤、どうしました」律がちょっと驚いたように声を掛けた。

娘は、「婆さま」と言って、律に駆け寄り膝の上にのった。

「采女や伊織と一緒に寝ていたのではないのですか」

「藤はもう大人です」

眠い目を擦りながら答えるお藤を見て、律と辰は顔を見合わせて笑った。

事件の報を聞いてから重い空気の原田家にあって、幼い子どもたちの存在だけが唯一の救いだった。

お藤六歳、采女五歳、伊織当歳、律には可愛い孫であった。


四月七日、仙臺からの一行が再来した。

城下の館に一行を迎えた帯刀らは立ち退きの御沙汰を受け入れた。

片倉隼人は御沙汰に抗った廉で、仙臺に連行されることとなった。

衣服を正した家中に別れの盃が巡った。立錐の余地も無い大広間は、重い空気に包まれた。

やがて、後ろ手に縛られた四人の兄弟が連行され、八里の道を仙臺に向かった。

祖母、母、妻子や家中は二度と会えない今生の別れを涙で見送った。

道端に座り込んだ百姓衆は手を合わせて念仏を唱えた。

少し行って、帯刀は立ち止まって後ろを振返り、城山を仰ぎ見た。

——幼い頃より我らを見守ってくれたあの樅の木、然らば。

兄の気持が伝わったのか、弟たちも城を仰ぎ見て涙した。

仙臺に連行された四人は、それぞれ親類の家に預けられた。

帯刀は上遠野掃部(かどうのかもん)・梁川三太夫・北郷荘太夫に、飯坂仲次郎は笠原内記・平渡清太夫に、平渡喜平次は石川右衛門・山岸伝三郎に、剣持五郎兵衛は猪苗代長門・清水長左衛門に。

そして帯刀の子采女と伊織は母親から切り離されて乳母と守役と共に、高野靭負可兼(たかのゆげいよしかね)に預けられた。

慶月院は亘理伊達千代松に、律は水沢伊達上野宗景(こうずけむねかげ)に、辰と藤は茂庭主水に、仲次郎の妻と娘は古内主膳に夫々お預かりとなった。

原田家の家財は闕所(けっしょ)、家老片倉隼人と家来服部十郎右衛門の妻子も闕所となった。

仲次郎の養父飯坂出雲は逼塞、喜平次の養父平渡清太夫と五郎兵衛の養父劔持新五左衛門は閉門を申し付けられ、それぞれ知行は没収となった。

その後、失意の堀内惣左衛門は兄弟四人の助命嘆願のために奔走(ほんそう)した。

「お頼み申す、お取り次ぎを、せめてこの書状だけでもお渡し願いたい」

この日も惣左衛門の姿は評定役茂庭主水の屋敷門前にあった。

門を叩いて取次ぎを願う惣左衛門に、門番の返事はつれなかった。

「今日もだめか」うな垂れた惣左衛門は、供の下人を連れて片平丁を引き上げた。

二人は、坂を下りて広瀬川原の石に座って握り飯を喰った。

「主水様の帰りを待ってみよう、夕刻にはお帰りになるはずだ」

見上げれば青葉繁れる木々の間に本丸の櫓が見え、麓には光に映える二の丸の白壁に黒い瓦屋根が印象的だった。

城に通じる大橋を見張れば、役目を終えて帰る行列が分かる。

「殿は、あそこでお役目に励んでおられたに」

惣左衛門は、吐き捨てるように言って、川の流れに石を投げた。

陽が傾きかけた時刻、二人は再び片平町に向かった。

待つこと暫し、警護の侍に囲まれた一丁の駕籠が主水の屋敷前に着いた。

太い松の陰に隠れていた惣左衛門は駕籠に近付き、地面に手を付いて声を掛けた。

「某、原田家の元家老、堀内惣左衛門にございます、不躾ながらお願いのこと有ってお待ちしておりました、何卒お聞き届け下さいませ」

「これっ、近寄るでない、下がれ」

隣り合わせの屋敷に聞こえないように、惣左衛門を咎めた供侍も小声であった。

「裏木戸からお入りなされ」駕籠の中から声が聞こえた。

門前で原田の者と押し問答するのは他聞を憚ること、主水は直ぐに惣左衛門を受け入れた。

主水は着替えもせずに惣左衛門に対面し願いを聞いた。

「手をお上げなされ、其許の御気持は分かりますが、儂にはどうにも出来かねることでござる」

手をついて懇願する惣左衛門に答えた主水の言葉はつれなかった。

「御公儀からのお達しが如何様であれ、我ら仙臺の者は誰であろうと異議を唱えることは出来ません、其許も一家の重役を務められた方ならお分かり頂けるはず」

「無論承知の上でござる、それでも止むに止まれぬこの気持、未練とお笑い下さるな」

また手を付いて頼み込む惣左衛門の言葉は震えていた。

「先刻の儂の手紙はご兄弟の処分が軽く済むようにと願うということであって、御下命に抗って後々悪名を残さぬようにとの配慮であった」

――やはりな、それだけのことであったか。

惣左衛門は、主水の手紙が立ち退きを催促するものであったことを再確認した。

「恐らくどの御重役を頼っても、減刑の願いは叶わぬであろう、否、会うことすら出来ぬでろう、我が家とて妹を通じて原田家と縁続き、定めし罪科に問われるに違いない」

主水の言葉を聞いて諦めた惣左衛門は、別れを言って屋敷を出た。

既に外は薄暗く、夕餉の支度か、其処此処に薄紫の煙が流れていた。

惣左衛門の足取りは重く、失意の内に船岡に帰らなければならなかった。

年寄りにとって夜道は危ない、二人は長町宿の旅籠に泊まることにした。

旅着を脱いだ惣左衛門は、自分が一層歳をとったように思えた。

（七）母の祈り

四月九日、江戸勤番の原田甲斐の家来衆が奥州街道を下って船岡に帰って来た。

伊達安芸、柴田外記、原田甲斐の家来衆は、不測の事態を避けるために、夫々二、三日の間をおいて江戸を出立するようにと命じられていた。

甲斐の家来衆一行には中津川織部が差し添えられる予定であったが、織部は甲斐を斬った蜂屋六左衛門の婿であるため、道中の安全を考慮して白根沢弥衛門に代わった。

家来衆にとって国許で待っているのは主家の断絶と牢人となる我が身、絶望的な帰国の旅であった。

はたして福島泊まりの夜、服部十郎右衛門、家老片倉隼人の嫡子片倉左太夫、草履取の松兵衛の三人が逃亡した。

「おう、おう、ご苦労であった」惣左衛門は、屋敷を訪ねて来た家来たちを迎えた。

「殿が先に脇差を抜いたというのは本当か」早速、惣左衛門が聞いた。

「お供は無用とのことで、某らはその場には居りませんでした」

「殿の亡骸はどうした」

「中次衆からの指図で劔持新五左衛門様が受け取り、家来一同で増上寺内の良源院そばに葬りました」

家来は持ってきた袱紗包みを惣左衛門に手渡した。

「帰って来たのはこれだけか、しかも戒名が無いではないか」

手にした甲斐の位牌を見て、惣左衛門は悲痛な声を上げた。

「亡骸を葬ってすぐ寺を出ろということで、戒名は誰も目にしておりません」

「何と御労しいことだ」

悲憤に震える手で香華を手向けた惣左衛門は、暫く手を合わせて瞑目した。

そして、船岡で起こったことを家来たちに話した。

「御家族の処罰はどれ程のものになりましょうか」

「うむ、大老邸での刃傷事は江戸城中でのそれに準じる大罪、恐らく重いものになるだろうなあ」

惣左衛門の言葉に家来たちは揃って俯いた。

家来たちが帰って、惣左衛門は庭に下りた。

初夏の風が運んで来る白石川の瀬音も、惣左衛門の耳には入らなかった。

四月十五日、事件で生き残った奉行の古内志摩が江戸藩邸に戻って来た。

「奉行が儂ひとりとなってしまったのでは真面(まとも)な政治が出来ない、急いで二人ばかり推挙しようと思うがどうじゃ」

志摩は奉行不在の間、政務を預かっていた出入司田村図書と小姓頭大町権左衛門、それに各務采女に話かけた。

「片倉小十郎殿と柴田中務ではどうか、津田も茂庭も最早仕舞いじゃ」

たった一人の奉行の意見に否やはない、三人は同意するしかなかった。

話し終わって志摩が退席した後、三人は声を潜めて噂した。

「御奉行はまるで自慢げに原田と切り結んだと言うが、そんな人が傷一つ無いとは不思議ではないか」

「左様、それについては、家中揃って噂しておる」

「中には、逃げ回っていたに違いないと言う者までいるとのこと」

「悪口千里を走ると言うぞ」

「それを言うなら悪事であろうが」

「冗談でござるよ」

三人は志摩に対する嫌味を込めて笑った。


　五月も末になって雨の日が続いた。

百姓は雨に濡れながら田の草取りに余念がなかった。

茂庭主水が眺める先には、雨に濡れた白い山百合が、うなだれて見えた。

「兄さま、此処でしたか」妹の辰が廊下に佇む主水を見つけて声を掛けた。

先刻、惣左衛門が訪れた時、辰に会いたいと願ったが主水に断られていた。

「舅殿のことでこの家まで迷惑を掛けてしまい、申し訳なくて・・」

二人の息子を取り上げられた辰は、一段と痩せて見えた。

「もうそれを言うな、お前が謝ることではない」

「采女と伊織は、この先どうなるのですか、私の所に戻って来るのですか」

「男子は皆・・」と言い掛けて主水は慌てて口を噤(つぐ)んで目を逸らした。

武家の慣わしとして、咎人(とがにん)の男系に対する処罰は厳しかった。

「それを考えると良く眠れません」

「気をしっかり持て、お前には三人の子がいるではないか」

男系の死罪が予想出来る主水にとっては、胸を引き裂かれる思いであった。

預かりの身となって二月あまり、母娘は表にも出られなかった。


伊達上野にお預けとなっていた律も、そぼ降る雨を眺めていた。

虚ろな目は一点を見詰めたままだった。

「原田の奥方様は大丈夫でしょうか、日に日にお窶(やつ)れのご様子ですが」

上野の奥方に付いて食事の世話をしていた女中が話しかけた。

「あの者は喰わないのか」奥方は、貪(むさぼ)るように飯をかっ込みながら聞いた。

「ちょっとは箸をつけますが」

「無理も無かろうよ、夫が不忠者として死んだ上に、家族は無残にも引き裂かれたのだからな」

と言いながら奥方は空になった椀を女中の鼻先に突き出した。

律との会話を禁じられていた奥方は、律の姿すら見ようとはしなかった。

女中は、奥方と律の対照的な姿を見るにつけ、律に対する憐れみの念が尚更に沸くのを覚えた。

――一家揃って罪に問われるとは、武家の世界は何と非情なものだ。子や孫に何の罪があるというのか、神も仏もあるものか。

律は愛する家族を絶望の淵に追いやった者を憎くんだ。

——可愛いあの子らに会いたい、無事にいるだろうか。何もかも甲斐の所為だ、甲斐を生んだあの婆（ばばあ）の所為だ、揃って地獄に落ちるが良い。江戸の妾とやらも死ぬが良い。

いじめられた姑に対する憎しみ、夫が隠した女に対する嫉妬が、誰からも賢女と称されていた律を変貌させてしまった。

第七章　原田家の滅亡

（一）切腹

六月五日、幕府目付佐藤作右衛門が仙臺に下向した。

八日に下着し、御代官役目の大番頭片平伊勢に上意を言い渡した。

「原田甲斐が子息四人と男の孫二人は切腹」

作右衛門は、上意の書状を平伏した伊勢に示した。

「処刑は明九日、万事支障無きよう」

上意を承った伊勢は、即刻片倉小十郎や柴田中務らの重臣を招集した。

伊勢から上意の沙汰を聞いて、その場の空気は重いものであった。

小十郎の老いた顔面がゆがみ、裃が震えるのが見えた。

「頑是無い子まで死罪とは、何と無慈悲な」

「聞きたくもないことを聞いてしまった」大条監物が唸った。

「上意なれば、致し方がないということか」

富塚内蔵丞は天井を仰ぎ見ながら、掃き捨てるように言った。

「五歳と当歳か、可愛い盛りよのう」

咳き込んだ小十郎が、口元を拭いた懐紙で目元も拭った。

「この頃は涙もろくなってな」

ゆっくりと一同を見渡した小十郎は、「御免」と言って広間を去った。

供の者に手を借りて帰る小十郎の丸くなった背中は、何かしら寂しげに見えた。

片倉小十郎景長はこの年の十一月に奉行を辞し、ほどなく没した。


　寛文十一年六月九日、前夜まで降っていた雨は未明に上がった。

厚い雲に覆われた蒸し暑い朝、原田家にとって最期の日を迎えた。

原田帯刀　切腹　介錯上遠野喜膳　検使御名掛組郡山七左衛門、御目付桑折甚右衛門
飯坂仲次郎　切腹　介錯笠原内記　検使不断組木松澤彦左衛門、御徒目付菊地利右衛門
平渡喜平次　切腹　介錯平渡家家来　検使御武頭関勘兵衛、御徒目付伊藤左五右衛門
剣持五郎兵衛　切腹　介錯猪苗代長門　検使御武頭大條伊勢、御徒目付黒田清右衛門
原田采女・伊織　殺害　介錯高野靭負　検使御武頭長沼惣太左衛門、御徒目付片平市郎兵衛
帯刀二十五歳　仲次郎二十三歳　喜平次二十二歳　五郎兵衛二十一歳　采女五歳　伊織当歳

四人の子息は、夫々に身柄を預けられていた家で腹切って果てた。

帯刀の息子、采女と伊織は預け先の高野家で殺された。

原田家の家臣らは、帯刀ら四人の亡骸を仙臺北山の満勝寺に葬りたいと願ったが、満勝寺は伊達家の始祖朝宗の菩提寺であるとの理由で許されず、それらは林香院の一穴に埋められた。

原田甲斐宗輔の曽祖父宗政は伊達輝宗に宿老として仕え相馬で戦死、祖父宗時は伊達政宗に随い朝鮮に従軍し、病に罹り対馬で死んだ。

父宗資(むねすけ)は桑折播磨宗長の季子(きし)で牡鹿郡稲井大瓜(おうり)三千石から柴田郡船岡に移った。

甲斐は元和四年に生まれ、父の死を受けて五歳で原田氏十九代の家督を継いだ。

慶安元年三十歳で評定役に、寛文三年四十五歳で奉行となり、知行高は四千三百八十石、後に八千石となった。

かくして、伊達家の始祖朝宗入道念西以来の譜代の臣であり、また宿老として累代忠孝を積んで一族共に栄えた原田家は、ここに滅亡した。

(二) 霧雨に煙る蔵王

船岡から北西におよそ三里、刈田郡平沢の領主高野靭負可兼(たかのゆげいよしかね)の屋敷。

原田帯刀の子、采女と伊織は二人の乳母と守役と共にここに預けられていた。

この乳母と守役たちは高野家の家老木村家ゆかりの者たちであった。

高野氏は着坐で千六百五十石、在所は城に次ぐ軍事上の要地である要害の一つであった。

「なんとも辛い御役目を仰せ付かった」

靭負の前には家老の木村が座っていた。

「明日、検使が二人来る、今日中に支度をせねばならん」

「やはり、死罪は免れませぬか」

木村は、靭負の目を覗き込んで聞いた。

「うむ、不憫ではあるが、御下命とあらば致し方なかろう」

二人の会話はここで途切れ、暫しの沈黙の後、木村は可兼の屋敷を出た。

その夜、木村は采女と伊織の守役と乳母を自室に呼んだ。

「二人は、寝たか」

「はい、やっと寝ました」

夜中に呼ばれた守役と乳母は、何か徒ならぬ気配を感じていた。

「明日、あの子らを始末せよとの命令が下された」

守役と乳母の間に衝撃が走り、互いに見詰め合う顔が引きつった。

「そ、それは真でございますか」

「このようなことを偽りで言えるものか」

守役の叫ぶような声に、木村は憮然として答えた。

「嘘だ、嘘に決まっている・・ああ～」

絶望と悲しみを堪えていた二人の乳母が、堪え切れずにわっと泣き崩れた。

木村は、それを敢て止めようとはしなかった。

早々に部屋を後にした木村の耳に、乳母たちの泣き声がいつまでも残った。

翌日の昼前、検使の武頭長沼惣太左衛門と徒目付片平市郎兵衛が高野屋敷に着いた。

「無慈悲とは思うが、昨日果てた父親の元に逝かせねばなるまい」

「せめて命だけは、何とかならぬものか」

「武家の子として生まれた宿命とは言え不憫にござるなあ」

「原田家もこれでお仕舞いですな」

「うむ、後を絶たれれば、そういう事になりますな」

「我らも、よくよく戒めとせねばのう」

靭負と検使二人の話し合いが続く内に、庭で子どもの声が聞こえた。

互いに顔を見合わせた検使二人は、庭が見える廊下に出て座った。

靭負は、近侍の手伝いで白い装束に襷を掛け、鉢巻を巻いて物陰に控えた。

「采女さま、こちらですよ」

「鬼さん、こちら」

采女が守役や下男たちと楽しそうに鬼ごっこで遊んでいた。

目隠しされた采女は両手を前に出し、笑いながら声のする方を捜した。

「どこだ、どこだ、捕まえようぞ」

采女が守役を捕まえた時、守役は采女の背後から口を塞いだ。

その瞬間、靭負の脇差が采女の胸を刺貫いた。

采女は目隠しをしたまま声一つ出せず、守役の腕の中で息絶えた。

采女の身体を抱いた守役は、地べたに崩れて嗚咽した。

靭負は事切れた采女の首に刃をそっと当てた。

「介錯、仕った、さすがに首は落とせぬ」

靭負は廊下で検分していた二人に頭を下げ、二人は唇を噛んだまま無言で頷いた。

そのまま靭負と検使は伊織のいる部屋へと向かった。

「子どもをおいて、下がるが良い」

部屋に入ってきた靭負と検使が、伊織をあやしていた乳母たちを退室させた。

靭負は乳母を追いかけようとする伊織を抱き抱えた。

嫌がって泣き出した伊織の鼻と口を、靭負の大きな掌(てのひら)が塞いだ。苦しそうに手足をばたばたと暴れた伊織の顔から血の気が引き、やがてだらりと下がって動かなくなった。

「許せ・・」大きく息を吐いて伊織を横たえた靭負は、床に両手をついて涙を流した。

その床には先ほどまで遊んでいた玩具が転がっていた。

念仏を唱え始めた靭負の後ろで、二人の検使も手を合わせた。

さすがに幼子の首を落とせなかった検使二人は采女と伊織の遺髪を携えて仙臺に帰った。

　夕刻から降り出した雨にも拘らず、采女と伊織の亡骸は高野家の菩提寺、保昌寺に運ばれ密かに葬られた。葬儀は無論、墓標も戒名もなかった。

「不憫なれど二人は逆臣原田甲斐宗輔の血を引く者、墓は造ってはならず供養してもならぬ、このこと皆に固く言いつけよ」埋葬の後、靭負は家老木村に命じた。

あわや伊達家を取り潰しの危機に追いやった逆臣の家族を供養することは、伊達家に対しての反逆と取られる心配があった。靭負はそれを恐れた。

だが、この日から七日の間、采女と伊織の守役と乳母だけには特別に供養を許した。

彼らは新しく土が盛られた所を墓と定め、香華を手向けて幼子二人の冥福を祈った。

そして七日目、供養を終えた彼ら五人は、夫々に自害殉死した。

その日も霧雨が降り、蔵王の山並みは墨絵のように霞んでいた。

この地には、幸い薄い幼子が乳母たちに守られて人知れず眠っている。

（三）堀内惣左衛門の殉死

悲報は遺された女たちにの元にも届いた。

四人の息子と二人の孫を失って衝撃を受けた律の憔悴は極度に達し、頻(しき)りに幻覚に襲われた。

「そこにいるのは誰、殿様ではありませんか」

「儂だ、今帰ったぞ、皆はどうして居る、変わりはなかったか」

「もう、誰もいませんよ誰も」

「誰もいないとはどうしたことだ」

「殿様の勢ですよ、あなたの罪を背負って、皆死んだのではありませんか」

「采女や伊織はどこだ、土産を買ってきたぞ」

「皆死にました、皆、皆、ああ~あなたを恨みます、憎みます」

「おっ、居るではないか、ほれ、あそこに」

「どれ、何処に、私には見えませぬ」

「おい皆、儂は此処だ、顔を見せろ、何処へ行く、おーい待て」

同じように、辰も半狂乱となって、屋敷中を走り回り、実母や主水らに押さえられた。

「采女、さあご飯ですよ、伊織もお乳をあげましょうね、抱っこしてね、あっ笑った」

白目をむいた辰は、譫言を言って正気を失った。

何日も、悲嘆に暮れる辰の姿は、茂庭屋敷の者たちの涙を誘った。

　慶月院は息子甲斐を恨みつつ自害した。

慶月院は悲報に触れたその日から食を断ち、十日ほど経って舌を噛んで死のうとしたが歯がなくて遂げられず、遂に七月二十九日、餓死した。享年七十四。

「何とも哀れな、慰めの言葉もない」

伊達千代松の祖母や母は亡骸に手を合わせ懇ろに弔った。

「これは伊東七十郎の祟りだ」

伊達の家中は、三年前のあの出来事を思い出して恐れ戦いた。

それは、伊東七十郎が斬首される時に恨みを込めて言い放った言葉だった。

＝首が前に落ちれば身体もまた伏すと言うが、儂は仰向けになって死ぬ、仰向けになったならば儂には神霊があると思え、三年の内に兵部殿を滅ぼすべし＝

「あの事件からちょうど三年だ、七十郎の言ったことが本当になった」

「正に、正に、神霊とは有るものだなあ」

「兵部様は配流となり、原田様の家族にまで及んだということか」

「原田様の家族こそ災難だった、原田様は兵部様に良いようにされていたと兎角の噂であったが、それを思うとなにやら気の毒でもあるがな」

　原田家の悲報は、直ぐさま船岡にも届いた。

家中の悲嘆は大きく、家老堀内惣左衛門清長はその日から原田家の牌所東陽寺に一日に二回、七日の間仏参し、十六日に遺書を遺して自害した。

息子堀内茂助に遺したその遺書には

『原田家は他に比類のない忠節を尽くしてきた、それを思えば兄弟の内一人でも死刑を免れ、家名だけは残して欲しかったが、兄弟残らず死刑に処せられ、名跡断絶に及んだことは是非もない、繁栄も衰退も共にすべき主家の廃絶を見ながら、譜代の臣として命永らえることは、臣たる本意を失うことであるから、ここに殉死を遂げる。尚、其方他家への奉公を望まず遁世（とんせい）し、原田家の牌所を守って一生を送るべし』とあった。

武家の世界の辛さ、非情さを痛感した父親が、息子に遺した最期の忠告であった。

延宝五年に甲斐の七回忌法要が東陽寺で密かに行われた時には、茂助をはじめ百三十五人の旧原田家の臣たちが参列した。

しかし茂助は、父の遺言に反し、士分であることを棄てなかった。

一時は名取郡植松村に新百姓として移り住んでいた茂助は、志田郡松山の茂庭家を頼った。

「其方、惣左衛門殿の息子というが、確たる証はあるのか」

長い謹慎を赦免されていた茂庭周防姓元は、意外な訪問者に警戒の色を見せた。

「畏れながら、これに・・」と言って茂助は懐から包みを出し、周防に差し出した。

それは、惣左衛門の位牌と遺髪であった。

「確かに。惣左衛門殿には願いのこと叶えてやれず申し訳なかった、その罪滅ぼしでもなかろうが、其方の願いを聞かねばなるまいのう」

周防は、茂助に僅かながらも扶持を与え、息子の左内を召出して中之間御番士に取り立てた。

天和元年、旧原田家の領地は柴田外記の息子中務宗意が治める所となり、永く原田家の菩提寺であった東陽寺は、登米郡米谷に遷された。

城の頂にそびえる樅の大木は、遠く蔵王の山並みを望みながら、人の世の移ろいをどのように見詰めていたのであろうか。

（四）落涙

あの事件から十二年経った天和三年九月二十五日、茂庭周防姓元のもとに書状が届いた。

「お辰、喜べ、柴田様から御赦免の報せが来た」周防は読み終えた書状を妹に見せた。

周防は同月十九日に辰と藤子の刑の赦しを願い出ていた。

「どうした、嬉しくはないのか」うかない顔の妹を見て周防は途惑った。

「采女と伊織を殺した者に、何の赦しを請うというのですか、赦しを請うのはあの者たちではありませんか、私は世を棄てたも同然、唯々二人の冥福を祈る生涯です」

泣き出した妹を見て、周防はあの悲劇を思い出させたことを悔いた。

「お前の気持は分からないでもないが、お藤の行く末を考えてやらねば、お藤はお前だけが頼りなのだぞ、もう十七歳になろう、お前はお藤に命を助けられたも同然なのだ」

「お藤・・」辰は顔を覆っていた両手を下ろして小さく呟いた。

廊下に若い女の声が聞こえた。

「婆さま、足もとに気をつけて」藤が祖母の手を引いて、ゆっくりと部屋に入ってきた。

「婆さまと歌合せをしていました、いろいろ教えてもらって楽しいですよ」

屈託のないお藤の明るさが部屋の空気を換えた。

「私の唯一の楽しみはお藤ですよ、お藤の嫁入り姿を見ないうちは死ねませんよ、長生きしなければねえ」孫娘の笑顔を見ながら祖母も笑った。

その夜、辰は母と向き合った。

「お前は采女と伊織が死んだ時三日も気を失っていた、きっとあの子らを追い掛けて行ったのでしょう。でも三途の川を渉れなかった、母の死を望まない二人が止めたのですよ、その気持をありがたく頂き長生きしなければなりませんよ」老いた母は、娘の手を握って励ました。

辰は兄の周防に頼んで、采女と伊織の墓所や戒名を探そうとしたが、それは出来なかった。

藤に車市左衛門隆久の嫡男喜太郎隆利との縁談があったのは、それから四年後の貞享四年十二月のことであった。

翌年の二月に両家から藩に願いが出され、九月に祝言の運びとなった。

暗く長い日々にあった茂庭家にとっては久々の祝い事であった。

周防をはじめ家族揃って、亡き原田帯刀や采女・伊織に手を合わせて祈った。

白無垢姿の藤を見て、祖母も辰も泣いた。

九年後の元禄十年、孫の顔を見た辰は、夫や子供が待つ世界に旅立った。

あの忌まわしい事件から二十六年の歳月が経っていた。

　そして元禄九年、登米郡佐沼の津田家の在郷屋敷で原田甲斐の妻と娘の再会があった。

二十五年振りの母と娘の再会は、涙の再会であった。

「お柳・・」娘の手をとって咽（むせ）び泣く母の律は言葉が出なかった。

「母様、ご心配をお掛けしました」娘も母と同じように泣いた。

甲斐の刃傷事件以来、伊達上野宗景に預かりの身となっていた律は、その後赦されて実家の津田家に身を寄せていた。

「お柳、隆次殿は一体どうしたのです」やっと落ち着いた二人は、話し始めた。

「些細なことが大事になってしまいました、これもきっと私の勢でしょう」

「どうして・・」律は、俯くお柳を庇うように静かに聞いた。

甲斐が奉行になった寛文三年に、お柳は北郷正太夫隆次に嫁いだ。

北郷氏は天正年間に伊達氏に服属した岩城氏の親族であった。

伊達氏に召抱えられた岩城長次郎政隆は伊達姓を賜り、江刺郡岩谷堂五千石の祖となった。

また、政隆に随身した北郷刑部隆勝も後に知行を賜り、一家に準じられた。

　隆勝から二代後、隆次の父隆茂は弟の隆信に対し、自らの知行四二貫六〇八文の中から二貫文を分地すると約したが果たさぬまま死んだ。

延宝七年、隆次は父親の約束を果たそうと藩に願い出た。

隆信はこれによって仕官が叶い、虎之間詰を命じられた。

ところがこの分地の後、隆信が二貫文を超えた分まで自分のものだと主張して田を起こした。

叔父との争いとなった隆次は評定所に訴え出たが、訴えは中々取り上げて貰えなかった。

隆次の訴えはその後も長く続き、十七年経ったこの年も改めて訴え出たのだった。

しかしこの訴えが仇となり、評定所から「今更何を言う、不届き至極」として身代没収の上、仙臺城下遠慮となってしまった。

訴え出ていた件が拗れて評定役に怒りをかった結果であった。

城下にいられなくなった隆次と柳が行き着く先は、母の実家津田家しかなかった。

「旦那様の度重なる上訴は、本地を勝手に新田にした叔父に対する憤懣が元でしたが、評定所が中々お取り上げにならなかったために、旦那様が業を煮やしたからです」

「そうでしたか、僅かな分地が仇となるとは、何ということでしょう」

「それです、些細な訴えにしては御咎めが大きすぎるとは思いませんか」

お柳は部屋の周りの様子を探ってから声を潜めて言った。

「そう言われれば確かに、では何故に」お柳の小声に律も合わせてしまった。

「父上の件が災いしているのではないかと」お柳はまた周りを見た。

「まさか、もう二十五年も前のことですよ、あの頃を覚えている人たちは殆どいないでしょう」

「北郷家が原田家と縁があることが、きつい御咎めになったのではないでしょうか」

「隆信殿には御咎めはなかったのですか」

「ええ、分家には何も無かったとのこと、きっと分家は役人に賄賂を渡していたに違いないのです」

隆次は何処なりとも知行を回復し、北郷の嫡流を絶やさぬことを願ったが、叶わぬまま二十二年後の享保二年、ここ佐沼で没した。

享保七年お柳も隆次の後を追い、北郷嫡流は二代後に断絶した。

嘗て宿老の家柄であり奉行を務めた津田家は玄蕃景康が逼塞となってからは凋落の一途を辿った。

事件から十九年経った元禄三年、仙臺藩は幕府より改めて事件について尋ねられた。徳川五代将軍綱吉、仙臺藩四代藩主綱村の世であった。

仙臺藩は幕府に対して次のような見解を示した。

『事件を起こした責任は、一に原田甲斐宗輔にある。甲斐宗輔は伊達兵部宗勝と一味して藩政を乱した。古内源太郎重定や伊東采女重門らの席次争いから伊東一族を処罰したことや、伊達安芸宗重と伊達式部宗倫との谷地紛争の検分も、甲斐宗輔の一味である今村善太夫安長、横山弥次右衛門元時などの者たちが私曲したものである。また、奉行古内志摩義如が提案した奉行誓詞五箇条について、奉行柴田外記朝意は同意したが甲斐宗輔が同意しなかったために実現しなかった。大権現様より永きに亘り賜った大恩に報いるべきところを、斯かる騒動を起こして御上の御心を煩わせたことは痛恨の至りである。これ全て極悪の臣、原田甲斐宗輔一人の為せる罪である』

仙臺藩のこの見解は、同時に幕府の公式見解ともなった。

幕府としても仙臺藩を救うためには、極悪の臣を祭り上げなければならなかった。

しかし不思議なことに、この見解には兵部の手先となって苛政を扇動した悪の張本人、渡辺金兵衛義俊の名前が一字も認められなかった。

極悪人の汚名を着せられた甲斐は、不器用であったし、愚直でもあった。

それ故に金兵衛らに体よく利用された甲斐は、審問の席でも十分な申し開きが出来ず、身の破滅を悟った末に、自暴自棄になって安芸に斬りつけた。
極度の心労と憔悴(しょうすい)が元の乱心であった。

完

あとがき

東北の雄藩仙臺藩の初期に起きた『伊達騒動』は三大お家騒動の一つとして有名でありますが、この伊達騒動の真相については明治時代以降多くの学者や知識人或いは作家などの研究により現在はかなり明らかになってきているようです。藩主の逼塞・隠居に始まり奉行の刃傷事件までの十数年間のドラマに興味を引かれたずぶの素人が、雑用の合間に書物や資料を集めて纏めるのに約一年、それを基に書き始めてこれまた一年余、老人の根気は長く続かず、一日掛かって一ページも進まないことも度々でした。

さて、書き上がって見ると、誰かに読んで欲しい、感想を聞かせてもらいたいとの想いが嵩じるのは人情というもの。原稿を読んで頂いた方々から出版を薦められたことも有り、調子に乗って出版に踏切りました。伊達騒動は仙台に関わる史実ですので地元の読者層を意識して、老舗書店「金港堂」に出版を依頼しました。読者の皆様方には、年金暮らしの独居老人がなけなしの貯金を叩いて出版したこの本を読んで頂けることに心から感謝申し上げます。

最後になりましたが、文中の誤りや時代錯誤などをご指摘、ご教授頂いた諸先生方や、出版を快諾して頂いた「金港堂」の皆様に改めて御礼申し上げます。

■主要参考文献

『仙台市史通史編4近世2』仙台市史編纂委員会編
『仙台藩歴史用語辞典』仙台郷土研究会
『伊達治家記録』
『伊達世臣家譜』
『柴田町史』柴田町史編纂委員会編
『涌谷町史』涌谷町史編纂委員会編
『伊達騒動実録』大槻文彦　吉川弘文館
『先代萩実話』斎藤荘次郎　金港堂
『伊達騒動と原田甲斐』小林清治　吉川弘文館
『樅ノ木は残った』山本周五郎　講談社
『伊達騒動―男たちの生と死』中嶋久壽
『仙台藩のお家騒動』平川新　大崎八幡宮
『仙臺郷土史夜話』三原良吉　宝文堂

Information

仙台市博物館

国宝慶長遣欧使節関係資料や、重要文化財の伊達政宗所用具足・陣羽織、豊臣秀吉所用具足、三沢初子所用帯などの他、仙台伊達家からの寄贈資料をはじめ、江戸時代の仙台藩に関わる歴史・文化・美術工芸資料など約九万点を収蔵する。

◎所在地　〒九八〇－〇八六二　仙台市青葉区川内二十六番地（仙台城三の丸跡）
◎ＴＥＬ　〇二二－二二五－三〇七四
◎ＦＡＸ　〇二二－二二五－二五五八

■開館時間／九時～十六時四十五分（入館は十六時十五分まで）
■休館日／月曜日（祝日・振替休日の場合は開館）、祝日・振替休日の翌日（土・日曜日、祝日の場合は開館）、十二月二十八日～一月四日
■常設展観覧料／一般・大学生四六〇円（三六〇円）、高校生二三〇円（一八〇円）、小・中学生一一〇円（九〇円）※（　）内団体料金（三十人以上）

著者紹介

金澤　裕（かなざわ　ゆたか）
昭和十八年（一九四三）仙台市生まれ
東北学院大学経済学部卒業

族誅（ぞくちゅう）
—伊達騒動異聞—

令和二年九月二十六日　初版

著　者　金澤　裕
発行者　藤原　直
発行所　株式会社金港堂出版部
　　　　仙台市青葉区一番町二丁目三－二十六
　　　　電　話　〇二二－三九七－七六八二
　　　　ＦＡＸ　〇二二－三九七－七六八三
印　刷　株式会社東北プリント